Diolch Sgrwtt!

Gwen Redvers Jones

Lluniau: Hannah Matthews

Gomer

I Peter

Cyhoeddwyd gyntaf yn 2010 gan
Wasg Gomer, Llandysul, Ceredigion, SA44 4JL.
www.gomer.co.uk

ISBN 978 1 84851 174 3

Noddwyd gan Lywodraeth Cynulliad Cymru.

Argraffwyd a rhwymwyd yng Nghymru gan
Wasg Gomer, Llandysul, Ceredigion.

1

Ti'n gwbod beth, Sgrwff – mae 'da fi lond gwlad o waith diolch i ti, ac mae gan Mam ac Ifan lond gwlad o waith diolch i ti hefyd. Paid ag edrych arna i fel petait ti ddim yn deall. Ti'n deall yn iawn. Dyna ti'n wincio arna i eto. Mae'n amlwg ein bod ni'n deall ein gilydd. Dyna un peth dwi'n ei wbod ambyti ti yw dy fod yn deall. Mae sawl peth ambyti ti dwi ddim yn ei wbod. Does 'da fi mo'r syniad lleia faint yw dy oedran di, ond mae 'da fi ryw syniad nad wyt ti'n ddigon hen i dy glust dde di fod yn gallu dal ei hun i fyny'n syth bìn fel dy glust chwith di. Ond wedyn, petai hi'n sefyll lan ar ei phen ei hun, a dy flew di i gyd yn gorwedd yn daclus ac yn llyfn, fyddet ti ddim yn Sgrwff wedyn, fyddet ti? Ond dyna fe, does dim un ohonon ni'n berffaith, ac mae Ifan 'y mrawd bach i'n llai perffaith na sawl un, mewn ffordd. Ond ry'n ni'n dau'n dwlu arno fe'r un peth. Erbyn hyn, ni'n dau yw'r gofalwyr.

Wyt ti'n gwbod pa liw wyt ti? Wel, rwyt ti'n wyn a brown a du. Wyt ti'n gallu gweld lliw? Sa i'n gwbod. Falle dy fod ti fel Mam-gu. Dyw hi ddim yn gallu gweld lliw. Mae hi'n gwisgo'r lliwie rhyfedda 'da'i gilydd. Dyw hi ddim yn od gweld Mam-gu'n mynd mas mewn ffrog goch a rhywbeth lliw oren ar ei phen. Dwi'n dwlu arni hi, cofia. Mae hi'n dod draw am ychydig o ddyddie bob hyn a hyn er mwyn i Mam a fi gael saib bach. Mae hi'n gadael Tad-cu gatre, achos mae e'n dal i weithio. Wedi iddo fe ymddeol, fe fyddan nhw'n dod yn amlach, medden nhw. Wyt ti'n gwbod pa frîd wyt ti Sgrwff? Does gen i ddim syniad. Dwi'n meddwl dy fod ti'n dipyn bach o bopeth. Dyma wedodd Tad-cu pan welodd e ti'r tro cynta:

'Dyma beth yw cymysgfa ddiddorol.'

Dwi'n cofio cael hyd i ti. Neu, falle mai ti gafodd hyd i fi. Sa i'n siŵr iawn. O! roeddet ti'n ddoniol, yn ishte'n wincio arna i a dy ben ar un ochor. Dwi'n cofio'r diwrnod yn iawn. Dydd Iau o'dd hi. Dwi'n cofio neidio oddi ar y bws a dyna lle roeddet ti, yn sefyll ar y pafin, yn gywir fel petait ti'n aros amdana i. Fe winciaist ti arna i, a dwi'n siŵr dy fod yn gwenu. Wedes i 'run gair wrthot ti, na rhoi bach i ti na dim. Fe wedes i, 'Hwyl bois' wrth fy mêts a dod sha thre. Ar ôl cyrraedd y bont dyma fi'n troi 'nôl ac roeddet ti'n dal i 'nilyn i. Wedes i 'run gair, dim ond cario 'mlaen. Pan gyrhaeddes i gatre roeddet ti'n dal yno. Ro'dd Mam yn ei chot yn barod i fynd i'w gwaith, ac Ifan yn barod am ei de a gwên lydan ar ei wyneb. Mae Ifan wastad yn gwenu pan dwi'n cyrraedd gatre. Weithiau mae'r bois yn mynd mas ar ôl

te am gêm ond sa i'n gallu mynd achos dwi'n gorfod gofalu am Ifan. Wel, mae'n rhaid i rywun 'neud, a phwy gwell na'i frawd mawr e? Dwi ddwy flynedd yn hŷn nag Ifan. Dwi'n ddeuddeg ac mae Ifan yn ddeg, ond dyw e ddim yn gallu byhafio fel 'tai e'n ddeg.

Fe stopiodd Ifan dyfu lan yn y ddamwain. Dim ond fe a Dad o'dd yn y car ar y pryd. Dwi ddim yn gwbod yn gwmws beth ddigwyddodd. Dyw Mam ddim yn lico siarad am y peth a dwi ddim yn moyn gofyn gormod, ond wedodd Mam-gu mai rhywun arall o'dd ar fai. Yn ôl yr heddlu, buodd Dad farw'n syth – dwi'n falch nath e ddim dioddef llawer o boen. Ro'dd yn rhaid i Ifan aros yn yr ysbyty am amser hir ar ôl y ddamwain ond fuodd e fyth yr un peth ar ôl 'ny. Mae chwe blynedd ers hynny ond dwi'n dal i weld eisiau Dad bob diwrnod.

Wel Sgrwff, y dydd Iau pan ddoist ti o hyd i fi, es i newid fy nillad a rhoi bwyd i Ifan. Er mod i'n newid, mae'n rhaid i mi wisgo ffedog i fwydo Ifan a dwi wastad yn ofan y bydd rhywun yn dod at y drws a 'ngweld i mewn ffedog. Dyna beth fyddai shêmyr! Mae Ifan wrth ei fodd yn cael jeli coch a hufen iâ i de. Dyna mae'n ei gael bob dydd. Diflas, efallai, ond mae e'n ei fwynhau. Mae'n hawdd ei lyncu. Ambell waith mae'n anodd cael y jeli i mewn i'w geg e achos mae'n gwrthod dal ei ben yn llonydd. Mae math o badin bob ochor i gefn ei gadair olwyn, fel math o 'wing mirrors', i ddal ei ben e. Weithie mae'n chwerthin ac mae'r jeli'n saethu allan o'i geg. Mae Ifan yn meddwl bod hynny'n ddoniol, ond dyw e ddim yn ddoniol pan mae'n glanio yn 'y nghôl i. Ar ôl i mi orffen, rhaid 'neud y gwaith diflas o lanhau Ifan, golchi'r llestri a chael brechdan a chacen. Dyw Ifan ddim yn gallu bwyta pethe solet. Mae e wedi anghofio sut i gnoi a llyncu'n iawn. Ar ôl hyn i gyd dwi'n troi'r teledu 'mlaen, ac os ydw i'n lwcus mae Ifan yn gwylio hefyd, o ryw fath. Ran amla mae'n 'neud sŵn a dwi'n ffaelu canolbwyntio ar y rhaglen. Dyw Ifan ddim yn siarad. Dyw e ddim wedi siarad ers y ddamwain, ond dwi'n deall yn iawn beth mae e'n moyn. Ti'n gweld, Sgrwff, fel yna o'dd hi y noson gawson ni'n dau hyd i'n gilydd, ac fel yna mae hi bob nos.

Ar ôl hyn i gyd fe gliries i'r llestri te a rhoi fy nillad rygbi brwnt i socian. Dwi ddim yn credu bod fy mêts i'n gorfod 'neud pethe fel hyn ar ôl dod gatre. Yna, fe wnes i 'ngwaith cartref, ac wedyn ishte i gael sgwrs 'da Ifan. Sa i'n credu bod Ifan yn deall yr un gair, ond mae'n gwenu ac yn nodio'i ben fel petai'n deall y cwbwl. Fel mae Mam yn ei ddweud:

'Twm bach, dy'n ni ddim yn gwbod faint mae e'n ei ddeall.'

Na, dy'n ni ddim, ond mae'n braf ei weld e'n hapus. Mae'n rhaid i mi gyfaddef mod i'n meddwl yn aml mor braf fyddai cael brawd sy'n deall popeth. Brawd sy'n gallu chware 'da fi. Brawd fyddai'n dod i'r un ysgol â fi. Brawd fyddai'n gallu cweryla, a brawd fyddai'n cael y bai ambell waith. Ond dyna fe, nid yr Ifan dwi'n adnabod fydde fe wedyn. Ti'n gwbod beth, Sgrwff, er dyw Ifan ddim yn gallu 'neud dim o'r pethe yna, dwi'n ei garu fe.

Y noson honno, pan ddaeth Mam yn ôl o'i gwaith meddai:

'Ma' 'na ryw hen gi rhyfedd yn ishte ar stepen y drws. Dwi bron yn siŵr 'i fod e 'na pan o'n i'n mynd mas bore 'ma. Ti'n gwbod pwy sy'n berchen yr hen beth sgrwfflyd?'

'Na 'dw, ond fe ddilynodd e fi oddi ar y bws. Chi'n credu y dylwn i roi bwyd a diod iddo fe?'

'Na, dim o gwbl neu yma fydd e. Gad iddo fe fod. Ma'n siŵr o symud i rywle arall i chwilio

am fwyd. Dyw hen gŵn strae fel 'na byth yn llwgu.'

Ro'n i'n moyn ci ers blynyddoedd ac ro'dd Dad wedi dweud y byddwn i'n cael un pan o'n i'n ddigon hen i ofalu amdano fe. Ond yna digwyddodd y ddamwain, a soniodd neb am gael ci wedyn. Sgrwff, allwn i ddim gadael i ti lwgu. Y noson honno, pan o'dd pawb yn cysgu, fe es i lawr yn dawel bach a mynd â darn o fara i ti, a dŵr mewn hen sosban. Des i â'r sosban 'nôl i mewn wedi i ti orffen, a dwi'n siŵr dy fod wedi gwenu arna i. Roeddet ti'n dal yno yn y bore.

2

Y bore Gwener hwnnw, pan aeth Mam allan i nôl y botel laeth, roeddet ti'n gwenu arni ar stepen y drws. Cododd hi'r botel a chau'r drws yn glep yn dy wyneb.

'Ma'r hen beth sgrwfflyd 'na'n dal tu fas,' meddai. 'Does dim rhyfedd yn y byd bod neb yn moyn e! Ma' golwg mor anniben arno fe, yn gywir fel brwsh ar bedair coes. Ar ôl i mi roi brecwast i Ifan dwi'n mynd mas â brwsh go iawn, a'i hala fe bant.'

Dyma fi'n llyncu'n galed a meiddio dweud beth o'dd ar fy meddwl i:

'Mam, gawn ni'i gadw fe? Fydd e'n ddim trafferth. Fydd dim rhaid i chi 'neud dim. Fe wna i ofalu amdano fe.'

'Bydd yn rhaid bwydo'r hen beth wedyn. Dyw bwyd ci ddim yn tyfu ar goed. Ma'r hen dunie bwyd 'na'n ddrud.'

'Bydd sgraps yn iawn iddo fe, Mam. Yn lle'n bod ni'n rhoi'r wast i gyd yn y bocs ailgylchu, gallen ni eu rhoi nhw i Sgrwff.'

Sgrwff. Dyna'r tro cyntaf i mi ddweud dy enw di. Dyna pryd y cest ti dy fedyddio.

'Gwranda, Twm, nid ar fwyd yn unig ma' ci'n byw. Bydd yn rhaid mynd â fe at y fet i gael chwistrelliad at y peth yma a'r peth arall. Ma'r Sgrwff 'na'n edrych yn ddigon afiach i fod angen pob un triniaeth sy ar gael. Wedyn, ma'n rhaid rhoi tabledi llyngyr iddo fe, a mynd â fe am dro ddwywaith y dydd. Does 'da ti na fi mo'r amser i 'neud hynny. Ma' Ifan 'da ni.'

Ydy, mae Ifan 'da ni. Mae Ifan 'da ni bob amser. Garies i 'mlaen i esgus bwyta'r tost, ond ro'dd e'n ffeindio'i ffordd i 'mhoced i. Do'dd Mam ddim wedi sylwi bod dim menyn arno, nac i ble ro'dd e'n mynd. Ro'dd hi'n rhy brysur yn trio cael yr uwd i mewn i geg Ifan yn hytrach nag i lawr ei ên. Mae'n dipyn o waith

cael Ifan yn barod erbyn hanner awr wedi wyth, pan mae'r bws mini'n dod i'w gasglu. Wrth gwrs, dwi wedi mynd mas o'r tŷ cyn hynny.

Y bore hwnnw es i mas a dyma ti'n siglo dy gwt. Roeddet ti mor falch o 'ngweld i! Do'dd dim rhaid i mi boeni am Mam yn rhedeg ar dy ôl 'da brwsh llawr, achos roeddet ti'n fy nilyn i. Dwi ddim yn credu mai'r tameidie tost o'dd yr unig atyniad. Fe wnest ti 'nilyn i yr holl ffordd at y bws. Ro'dd fy mêts yn edrych yn hurt pan welon nhw ti a fi 'da'n gilydd.

'O ble daeth y mwngrel 'na, Twm?' holodd Ryan.

'O ble bynnag daeth e, cer â fe'n ôl,' o'dd cyngor Josh.

'Welith e mo Crufts,' o'dd sylw Huw.

'Welith e mo sioe Pontargothi hyd yn o'd,' chwarddodd Ryan.

A dyna pryd y daeth y celwydd mas. Do'n i'n becso 'run botwm corn amdanyn nhw. Ro'n i'n gwbod yn iawn taw eiddigedd o'dd e i gyd – eiddigedd bod ci 'da fi a dim un 'da nhw.

'Tad-cu gafodd hyd iddo fe ac ma' fe wedi'i roi e i mi. Ro'dd Tad-cu'n credu bydde fe'n hapusach 'da fi nag mewn cartre cŵn.'

Unwaith ro'dd y celwydd mas ro'n i'n difaru. Bydden nhw'n siŵr o sylweddoli taw celwydd o'dd e achos do'dd dim hawl 'da fi i dy gadw di, Sgrwff. Es i'n chwys oer i gyd.

'Hei, does 'da ti ddim hawl mynd â fe i'r ysgol, ond gallet ti'i gwato fe yn dy fag,' awgrymodd Ryan. 'O! na, ma' fe'n rhy fawr!' ychwanegodd.

'Hei, bydde'n grêt ei ollwng e mas ar ganol gwers Betsan Brysur,' meddai Huw. 'Yffach gols, bydde hi'n siŵr o roi sgrech a gweiddi: "Rhowch yr hen beth afiach 'na 'nôl! Brysiwch! Ar unwaith! Rydyn ni'n rhy brysur yn y wers hon i 'neud pethau dwl".' Chwarddodd Huw. 'Beth wyt ti'n mynd i 'neud 'da fe, Twm?'

'O, fe fydd Sgrwff yn iawn,' atebais.

'Sgrwff!' chwarddodd pawb.

'Ma'r enw'n ei siwtio,' meddai Huw.

'Wel, fe aiff e'n ôl sha thre. Ti'n gwbod ble ti'n byw, on'd wyt ti, Sgrwff?'

Dwi'n siŵr dy fod ti wedi nodio dy ben.

Bues i'n becso yr holl ffordd i'r ysgol. Becso ble roeddet ti'n mynd i fynd drwy'r dydd, a beth petait ti'n cael dy fwrw i lawr neu rywbeth. Ro'n i'n ei chael yn anodd ofnadwy canolbwyntio ar y gwersi. Sa i'n gwbod pam wnes i hyn, ond amser cinio fe guddies i fy nghig yn slei bach yn fy hances boced. Ro'dd gen i ryw syniad y byddwn i'n dy weld di eto.

Ti'n gwbod beth, Sgrwff, dwi'n hoffi'r ysgol. Yn yr ysgol rydw i yr un fath yn union â phob crwt arall. Pan fydda i gatre, brawd mawr Ifan ydw i. Bwydo Ifan, glanhau Ifan, sychu trwyn Ifan, sychu ceg Ifan, symud coese Ifan, trio chware 'da Ifan. Ifan sy'n dod gyntaf bob tro. Yn yr ysgol, sa i'n gorfod 'neud dim mwy na dim llai na neb arall.

Mae fy mêts i gyd yn gwbod am Ifan, ond dy'n nhw byth yn holi. Fe ofynnodd Josh unwaith pam do'n i ddim yn gallu chware gêm bêl-droed, neu ymarfer ar ôl yr ysgol, a wedes i wrtho bod Mam yn mynd mas i weithio ar ôl i mi fynd sha thre, a bod yn rhaid i mi ofalu am Ifan. Dyw Mam ddim yn gallu gweithio yn ystod y dydd. Wedes i wrth Josh bod yn rhaid iddi fod gatre yn ystod y dydd pan o'dd gwylie ysgol, er mwyn Ifan. Dwi ddim yn ddigon hen i garco Ifan drwy'r dydd. Mae gwaith min nos Mam yn y dderbynfa yng Ngwesty'r Tarw yn siwtio pawb yn iawn.

Ro'n i'n falch mod i wedi rhoi'r cig yn fy hances boced, achos dyna ble roeddet ti'n aros yn amyneddgar amdana i. Do'n i ddim yn gallu credu'r peth. Wrth gwrs, ro'dd fy mêts yn meddwl dy fod yn athrylith o gi, yn mynd sha thre ac wedyn yn dod 'nôl i aros amdana i wrth yr arhosfan bysys. Y peth yw, Sgrwff, sa i'n gwbod hyd y dydd heddiw beth ddigwyddodd. Diolch byth na ddaeth plismon cŵn heibio. Fe ddilynest ti fi yr holl ffordd sha thre, unwaith eto, a finne'n gollwng y cig bob yn damed i ti. Ro'n i'n becso'n dwll y bydden i'n cyrraedd y tŷ a Mam yn dy weld ti 'da fi. Ac ro'dd lle 'da fi i fecso 'fyd. Y peth cynta wedodd hi pan es i mewn drwy'r drws o'dd:

'Ro'dd yr hen gi sgrwfflyd 'na wedi diflannu cyn i'r bws mini ddod i nôl Ifan. Diolch byth, dyw e ddim wedi dod yn ôl.'

Ro'n i'n teimlo fy hun yn dechre gwrido, achos alla i fyth ddweud celwydd wrth Mam. Dyna Mam mor falch dy fod ti wedi diflannu, a finne'n gwbod yn iawn dy fod ar stepen y drws yn wincio, 'da un glust i fyny ac un glust i lawr.

'Twm, dwyt ti ddim wedi dweud gair wrth Ifan. Ma' fe'n edrych arnat ti. Gwed rywbeth,' o'dd geiriau nesaf Mam.

'Helô, Ifan. Sori boi. Twm yn mynd i newid nawr. Jeli coch wedyn.'

Chwarddodd Ifan. Ro'dd e'n hapus, er nad o'dd e'n deall gair wedes i. Y fi o'dd mewn picil. Es i'm stafell ac fe glywes ddrws y ffrynt yn agor. Ond chlywes i mo'no fe'n cau. Beth glywes i nesa o'dd sgrech Mam.

'Twm, ma'r creadur 'na wedi dod 'nôl. Ma' fe'n ishte ar y stepen yn edrych yn blês â fe'i hunan. Bore fory, gan ei bod yn ddydd Sadwrn, fe gei di roi cordyn am ei wddw a mynd â fe lawr at yr heddlu. Gallan nhw benderfynu beth i 'neud 'da'r hen beth.'

3

Fe ges i dy fwydo di 'da sgraps y noson honno, a gadael dŵr i ti. Dywedodd Mam wrtha i am fynd â ti i'r ardd gefn, rhag i'r cymdogion dy weld di'n eistedd ar y stepen a ffonio'r RSPCA. Ond ro'dd 'na un broblem fach, do'dd 'da ti ddim coler i roi'r cordyn yn sownd wrthi. Sgwn i wyt ti'n cofio, Sgrwff? Fe gawson ni fenthyg coler gan Jean, nymbyr 3, a chael y drafferth ryfedda wrth drio'i rhoi hi am dy wddw di. Sa i'n credu bod neb wedi trio rhoi coler arnat ti o'r blaen. Ond er dy fod yn stryffaglian, wnest ti ddim trio 'nghnoi i o gwbl. Ar ôl i mi fwydo Ifan a'i lanhau, dyma fi'n gwthio'i gadair olwyn at ddrws y cefn a'i agor er mwyn iddo fe dy weld di am y tro cynta. Mae e'n gwenu arna i, ond ro'dd e'n gwenu hyd yn oed yn fwy arnat ti ac yn trio stwffio'i ddwylo i'w geg. Dyna beth mae'n ei 'neud pan mae e'n gyffro i gyd. Fe gerddest ti at ei gadair olwyn, sefyll ar dy ddwy goes ôl a rhoi dy bawene blaen ar ei goes. Fe dynnodd Ifan ei ddwylo o'i geg a rhoi un llaw yn ysgafn ar dy ben di, ac roeddet ti, Sgrwff, yn berffeth lonydd iddo fe. Wnaeth hynny ddim para'n hir, achos dechreuodd Ifan

chwifio'i ddwylo eto. Ro'dd hi'n gwbl amlwg ei fod e'n dwlu arnat ti. Wrth gwrs, ro'n i bron â marw eisie dweud wrth Mam, ond do'n i ddim yn credu y byddai hi'n hapus iawn oherwydd taw i ti, Sgrwff, ro'dd e'n 'neud y pethe hyn. Ond pan ddes i ag Ifan i mewn, ro'n i'n gwbod ei fod e'n moyn mynd yn ôl i dy weld di, achos ro'dd e'n edrych i gyfeiriad y drws drwy'r amser. Roeddet ti'n amlwg wedi 'neud ffrind arall!

Nos Wener o'dd hi, a'm mêts i gyd yn y parc yn chware pêl-droed, felly fe benderfynes i droi fy Nintendo 'mlaen. Er bod Ifan ddim yn hapus pan dwi'n chware *Mario Karts,* mae hawl 'da fi i gael hwyl a sbri ambell waith a dwi'n hoffi profi fy sgilie. Mae'n od ei fod e'n gadael i mi 'neud gwaith cartref heb gwyno, ond yn mwmblan wrtho'i hunan a golwg gas ar ei wyneb pan dwi'n chware gêm. Falle y bydde fe'n hoffi chware, a'i fod e'n sylweddoli bod chware'n beth braf – ac yn rhyw ddeall hefyd bod gwaith cartre'n beth diflas.

Bues i mewn a mas o'r tŷ sawl gwaith y noson honno, yn 'neud yn siŵr dy fod yn iawn. A ti'n gwbod beth? Roeddet ti'n gwmni grêt. Ro'dd yn deimlad braf, cael rhywun heblaw fi ac Ifan o gwmpas y lle. Ond pan es i mewn i roi swper i Ifan, ro'dd e'n eitha crac â fi. Dyw e ddim yn hoffi cael ei adael ar ei ben ei hun. Dwi'n gwbod pan mae e'n grac, achos mae'n gwthio'i wefus isaf mas ac yn troi'i ben o ochor i ochor. 'Jib y jwg', dyna mae Mam yn galw wyneb fel'na. Pan welodd e fi'n estyn ei bowlen swper mas fe dynnodd ei wefus yn ôl i mewn, a gwenu pan roies i'r bìb am ei wddw. Mae bwyd Ifan yn ddiflas – rhyw fath o gawl mae'n ei gael i swper bob nos, neu ginio wedi'i hylifo yn y prosesydd bwyd. Cawl ffowlyn o'dd i swper heno. Dwi'n methu ei geg ambell waith – wel, yn aml, a bod yn onest – ac yna mae'n rhaid i mi sgŵpio'r bwyd oddi ar ei fib ac anelu am ei geg unwaith eto. Weithie mae'n llwyddo i roi ei ddwylo i mewn yn y bwyd hefyd. Wrth iddo'u hysgwyd a'u rhwbio yn ei gilydd mae'r bwyd yn mynd rhwng ei fysedd ac i mewn i'w wallt a'i glustie. Ych a fi!

Wedyn fe olches ei wyneb, ei ddwylo a rhwng ei fysedd, a golchi cudynnau o'i wallt lle ro'dd e wedi rhoi ei ddwylo. Petai e ddim ond yn gallu aros yn llonydd, byddai hynny'n help mawr! Wedyn, fe gafodd e sudd oren o'i gwpan arbennig. Ond heno, fe benderfynodd ei chwythu allan drosta i. Rhwng popeth, mae'n cymryd tua thri chwarter awr i fwydo Ifan. Gwaith diflas iawn.

Yn y diwedd, fe ges innau swper, ac wrth gwrs ro'dd 'na dipyn bach ar ôl i Sgrwff! Wyt ti'n cofio'i gael e, Sgrwff, a joio mas draw? Sa i'n credu dy fod ti wedi cael cawl ffowlyn erioed o'r blaen. Gliries i'r llestri, ac yn fuan wedyn fe ffoniodd Mam-gu. Wedes i wrthi amdanat ti, Sgrwff; wedes i mod i'n moyn dy gadw di, ond bod Mam yn dweud bod yn rhaid imi fynd â ti at yr heddlu yn y bore. Ond er bod Mam-gu'n fy holi amdanat ti ro'n i'n amau, rywsut neu'i gilydd, ei bod hi'n cytuno 'da Mam bod digon 'da fi i 'neud i ofalu am Ifan – yn enwedig gan y bydda i'n dechrau ym mlwyddyn naw nesaf ac yn cael mwy a mwy o waith cartref. Ar ôl rhoi'r ffôn i lawr dyma fi'n meddwl:

'Fe fydda i wedi tyfu lan cyn hir, a fydda i erioed wedi cael amser i chware. Ocê. Beth yw'r ots? Dyw chware ddim mor bwysig â hynny, ond ma' cadw Sgrwff *yn* bwysig. Sa i'n gofyn am lot, dim ond cael cadw un ci bach.'

Dwi'n cofio edrych ar Ifan a meddwl: 'Oni bai amdanat ti, fyddwn i ddim yn y twll yma.'

Wel, fel 'na ro'n i'n teimlo, er mod i'n gwbod na ddylwn i ddim.

Wnes i ddim trio gofyn i Mam eto a gawn i dy gadw di. Ro'n i'n gwbod bod dim pwynt. Pan ddaeth hi sha thre, fe gawson ni'n dau ddishgled o de a bisgïen cyn mynd i gael Ifan yn barod i'w wely.

Ond yn sydyn, dyma Mam yn gofyn:

'Ody'r hen Sgrwff 'na'n iawn? Well i ti fynd i 'neud yn siŵr, cyn mynd i dy wely.'

A dyma fi'n meddwl, am funud, tybed a o'dd Mam yn dechre newid ei meddwl amdanat ti? Bydde cael dy gadw di yn 'neud shwt wahanieth i mywyd i.

4

Y bore wedyn, roeddet ti mor falch o 'ngweld i! Roeddet ti'n dawnsio o gwmpas y lle a dy gwt yn siglo mor galed o ochor i ochor nes mod i'n meddwl y bydde fe'n cwmpo bant.

'Ody Sgrwff yn iawn?' holodd Mam.

'Ody, ond dwi'n siŵr ei fod e'n starfo.'

'Ma' golwg arno fe fel petai'n starfo drwy'r amser. Well i ti roi rhywbeth iddo, i drio llanw'i fol e,' meddai Mam.

Dyma fi'n trio meddwl am rywbeth ffein i ti, gan mai hwn fyddai dy frecwast ola di 'da fi. Benderfynes i roi yr un peth ag ro'n i'n ei gael, sef llond powlen o greision ŷd, a thost a Marmite. Roeddet ti wrth dy fodd 'da hwnnw!

Ar ôl i Ifan gael ei frecwast, fe ofynnes i i Mam a gawn i fynd ag e mas i dy weld di, ac fe wedodd hi, 'Iawn.' Ges i sioc! Pan welodd Ifan ti, dechreuodd stwffio'i ddwylo i'w geg a 'neud syne bach yn ei wddw. A dweud y gwir, ro'dd e'n 'neud cymaint o sŵn nes bod Mam wedi

dod mas i weld beth o'dd yn bod. Tynnodd Ifan un law o'i geg a'i rhoi hi ar dy ben am eiliad. Ro'dd wyneb Mam yn bictiwr – gwên ar ei hwyneb a dagrau yn ei llyged.

'Edrych, Mam! Ma' Ifan yn dwlu ar Sgrwff,' dywedais wrthi.

'Gafel yn llaw Ifan, Twm, rhag ofn iddo'i rhoi yn ei geg cyn i mi gael cyfle i'w golchi. Duw a wŷr beth alle fe 'i ddala oddi wrth y ci 'na!'

Diflannodd fy ngobeithion bod Mam yn dechrau newid ei meddwl.

Mynd â ti at yr heddlu fyddai'r peth anoddaf yn y byd i'w 'neud, ond do'dd dim dewis 'da fi. Cychwynnais yn syth ar ôl brecwast, gan obeithio na fydde'r bois wedi codi a mynd mas eto, neu bydde'n rhaid i mi feddwl am ryw gelwydd arall. Gerddes i ti i orsaf yr heddlu gan gymryd arnaf taw mynd â ti am dro ro'n i. Aethon ni drwy'r parc, ac roeddet ti'n dwlu sniffian y borfa a chodi dy goes ar bron pob mainc. Ro'dd pob coeden yn darged hefyd. Roeddet ti'n mwynhau dy hun, a finne hefyd. Byddwn i wedi hoffi cymryd fy amser, ond ro'n i'n ofon gweld y bois, a hefyd gallai Mam fod yn moyn help 'da Ifan.

Sgrwff, wyt ti'n cofio cael hyd i'r tegan meddal 'na ar lawr? Cath o'dd e. Roeddet ti'n ei sniffian, yn chwyrnu arno fe ac yna'n troi dy ben i edrych arna i fel petait ti'n gofyn, 'Twm, beth yw hwn?'

Y peth nesa, dyma ti'n ei godi e lan yn dy geg a dechre cerdded 'mlaen. Roeddet ti'n edrych yn ddoniol, gan fod pen y gath yn sticio mas o un ochor o dy geg di a'i chwt hi'n sticio mas o'r ochor arall, a thithe'n cerdded mor bwrpasol. Ro'n i mor falch ohonot ti, achos ro'dd pobl yn gwenu arnat ti wrth fynd heibio.

Ro'dd fy nhraed i'n arafu wrth i ni agosáu at orsaf yr heddlu. Hyd y dydd heddiw, dwi'n bendant dy fod ti'n tynnu'n ôl ar y cordyn. Yn anfodlon iawn y dringon ni'n dau'r grisiau i'r orsaf. Do'n i erioed wedi bod yno o'r blaen, a rhaid i mi gyfaddef bod tamed bach o ofon arna i. Yr unig dro y bues i'n agos at blismon cyn hyn o'dd pan ddaeth dau ohonyn nhw, un dyn ac un fenyw, i ddweud wrth Mam a fi am y ddamwain. Triais wthio'r darlun hwnnw i gefn fy meddwl.

Ro'dd 'na blismon tu ôl i ffenest wrth y cownter a dim golwg o neb arall o gwmpas y lle.

'Ie, beth alla i 'neud i dy helpu di?' gofyn-nodd yn eitha serchog.

Llynces fy mhoer a dweud, 'Dwi wedi cael hyd i Sgrwff.'

Chwarddodd y plismon ac meddai wrth edrych ar Sgrwff, 'Wel, rhaid cyfadde dyw e ddim y peth perta ma' Duw wedi'i greu, ody fe, ond ma' rhywun yn siŵr o fod yn gweld ei golli. Ma' rhyw hen fwngrel fel 'na'n gallu bod yn ffrind ffyddlon. O'dd rhwbeth tebyg 'da fi pan o'n i'n grwt ac ro'n i'n dwlu ar yr hen beth. Well i ti roi dy fanylion i mi. Enw, cyfeiriad a rhif ffôn. Ble gest ti hyd iddo fe?'

'Dilyn fi sha thre wnaeth e, nos Iau, a dyw Mam ddim yn fodlon i mi 'i gadw fe. Beth fydd yn digwydd iddo fe nawr?'

'Wel, sa i'n credu y byddwn ni'n ei gadw fe yma i'w droi'n *police dog*,' atebodd y plismon â gwên ar ei wyneb. 'Gaiff e fynd i gell am nawr 'da digon o ddŵr ac fe rown ni alwad i'r RSPCA. Fe fyddan nhw'n siŵr o edrych ar ei ôl e. Ac os daw rhywun yma i holi amdano fe, byddwn ni'n gallu dweud wrthyn nhw ble ma' fe. Fe fydd e'n iawn, paid â becso.'

Wedyn, dyma fi'n gofyn y cwestiwn o'dd wedi 'mhoeni i ers neithiwr.

'Dy'n nhw ddim yn mynd i'w roi e i lawr, ydyn nhw?'

'Jiw, jiw, nac ydyn siŵr. Achub cŵn maen nhw, ac edrych ar eu holau. Os na ddaw rhywun i'w nôl e, byddan nhw'n ei roi mewn cartref i gŵn. Fe fydd e'n iawn yng nghanol y cŵn eraill, paid ti â becso.'

Canodd gloch ar ei ddesg, a daeth plismon arall o rywle.

'Shwt wyt ti, boi?' gofynnodd. 'Strae, ife? Wel dere â fe i mi. Ma' cwpwl o fisgedi cŵn 'da fi'n rhywle. Ti wedi rhoi enw iddo fe 'to?'

'Do. Sgrwff.'

'Dere Sgrwff, ni'n dau'n mynd i joio.'

Gafaelodd y plismon yn y cordyn, ond ro'n i'n ffaelu ei ollwng. Er gwaetha trio bod yn ddewr gallwn deimlo'r dagrau'n pigo ac yn

rhedeg dros ymyl fy llyged i ac i lawr fy
mochau. Dechreues sniffian wrth 'neud un o'r
pethau mwya anodd ro'n i erioed wedi'i 'neud
o'r blaen, sef gollwng y cordyn. Fe est ti 'da'r
plismon, ond wrth fynd drwy'r drws fe droiest
ti'n ôl ac edrych mor drist arna i. Roeddet ti'n
edrych mor giwt â'r tegan yn dy geg.

Does 'da fi fawr o gof cerdded gatre, ond dwi'n cofio mai'r unig bethe weles i ar hyd y daith o'dd fy esgidie a'r pafin.

Pan gerddes i mewn i'r tŷ, ro'dd Mam yn brysur yn golchi dillad. Dwi'n credu taw golchi yw hobi Mam – mae hi'n brysur bob dydd yn golchi, sychu a smwddio.

'Wel, be maen nhw wedi'i 'neud â fe?' holodd wrth roi llwyth arall yn y peiriant golchi.

'O, ma'r RSPCA yn mynd i'w nôl e,' atebais braidd yn swrth.

Do'dd arna i ddim awydd siarad.

'Gwd, fe fydd e'n iawn nawr. Twm, cer i ymarfer coese Ifan i mi, wnei di? Sa i wedi cael amser bore 'ma. Wedyn ma'n bryd iddo gael ei laeth – alli di roi peth o'r blas mefus 'na 'da fe? Ma' Ifan yn hoffi hwnna.'

'Ma' Ifan yn hoffi hwnna . . . ma' Ifan yn hoffi hwnna . . . ma' Ifan yn hoffi hwnna . . .' Ro'dd y geirie'n mynd rownd a rownd a rownd yn fy mhen nes yn y diwedd fe waeddais yn uchel, 'Ma' Ifan yn hoffi hwnna ac ma' Twm yn hoffi Sgrwff!'

Cerddes mas o'r gegin gan roi cic i gadair olwyn Ifan wrth fynd heibio i newid fy nillad.

'Ar Ifan ma'r bai am hyn i gyd.'

5

Pan ddes i 'nôl i mewn i'r gegin, ro'dd y peiriant golchi'n chwyrlïo a Mam wedi diflannu i rywle. Gwenodd Ifan wrth 'y ngweld i ac ro'n i'n difaru mod i wedi bod yn gas wrtho. Ro'dd e'n hoffi Sgrwff hefyd, ond ei fod e'n ffaelu dweud hynny.

'Coese gynta, Ifan. Llaeth wedyn. Twm yn mynd i 'neud coese Ifan yn gryf fel rhai Twm. Ni yn y gampfa nawr. Barod i'r *body building*, Ifan? Lan a lawr. Lan a lawr. Lan a lawr. Mewn a mas. Mewn a mas. Mewn a mas. Plygu pen-glin. Plygu pen-glin. Plygu pen-glin.'

Er mod i'n canu'r holl gyfarwyddiade, do'dd Ifan ddim yn cymryd unrhyw sylw nac yn gallu helpu dim. Erbyn y diwedd, ro'dd fy nwy fraich yn rhoi dolur i mi. Dwi'n siŵr taw fi sy'n cael y *body building* ac nid Ifan. Yna, fe gymysges y llaeth mefus iddo fe. Dim ond un gawod ges i drwy lwc, a honno dros fy ffedog.

Erbyn hyn ro'n i'n starfo felly es i i sgwlcan am fwyd. Ges i doc o fara, menyn, caws a phicl. Ro'dd e'n ffein. Do'dd Mam heb gyrredd yn ôl, felly es i i chwilio amdani. Ro'dd hi'n siarad ar y ffôn yn y lolfa. Ro'dd hynny'n beth od, achos yn y gegin mae Mam yn siarad ar y ffôn gan amla. Sefes wrth y drws a chlustfeinio.

'Dwi ddim yn siŵr ydw i wedi 'neud y peth iawn . . .'

Tawelwch.

'Ofn sy 'da fi y bydd e'n cymryd e mas . . . ar Ifan.'

Tawelwch.

'Ma' fe'n arbennig 'da Ifan . . . ond dyw pethe ddim yn rhwydd iddo fe . . . Dyw e ddim yn gallu byw bywyd normal fel bechgyn eraill o'i oed e . . . ac wrth gwrs, ma' pethe'n waeth oherwydd dyw ei dad e ddim yma chwaith . . . Wedyn . . . druan . . . pan ma' fe'n dod sha thre, dwi'n gorfod mynd mas . . . Wrth gwrs . . . bydde ci wedi bod yn wych iddo fe . . . ond does 'da ni ddim amser i ofalu am yr hen beth . . . Alle fe ddim gadael Ifan yn y tŷ ar ei ben ei hun tra ma' fe'n mynd â'r ci am dro . . .'

Dyna fe, Ifan yw'r drwg eto.

'Ie . . . gawn ni weld shwt ma' pethe'n mynd . . . Bydd yn neis eich gweld chi fory . . . Dewch erbyn cinio . . . Ocê . . . Wela i chi.'

Rhuthrais 'nôl i'r gegin. Ro'dd Mam yn siarad amdana i 'da rhywun. Rhywun o'dd yn dod erbyn cinio fory.

Daeth Mam i mewn i'r gegin at Ifan a fi. 'Ma' Tad-cu a Mam-gu'n dod erbyn cinio fory,' meddai. 'Ti'n fodlon mynd draw i siop Albert i brynu ffowlyn i mi? Ma' digon o bopeth arall yma, ond fydde dwy stecen ddim yn mynd yn bell rhwng pedwar. Ffonia i'r siop nawr i ddweud yn gywir beth dwi'n moyn. Dyma dipyn bach mwy o arian poced i ti gael prynu cylchgrawn neu rywbeth yn gwmni i ti heno.'

Do'n i ddim yn moyn dweud wrthi taw Sgrwff fyddai'r cwmni gorau, achos dyw cylchgrawn ddim yn gallu cyfathrebu 'da fi – dim mwy nag ma' Ifan yn 'neud.

Ond pwy weles i ar y ffordd i'r siop ond Josh, y busnes mawr ei hun.

'Haia, shwt ma' pethe'n mynd?' holodd fel petai heb 'y ngweld i ers mis. 'Ble ti'n mynd?'

'Siop Albert i nôl ffowlyn erbyn cinio fory. Tad-cu a Mam-gu'n dod.'

'Ble ma'r Sgrwff 'na 'da ti? Ody fe wedi bod yn rhacso sliperi gore Mam?'

Ro'dd fy meddwl i'n gweithio'n gyflym.

'Na. Defnyddia'r ychydig frêns 'na sy 'da ti a dychmyga fynd â Sgrwff i siop bwtsiwr. Bydde fe mas drwy'r drws â sosej yn ei geg cyn i mi droi rownd.'

'Gallet ti adel Sgrwff tu fas – fydde fe ddim yn rhedeg bant. Ma' fe'n rili ffyddlon, dyna wedest ti.'

'Galle rhywun 'i ddwgyd e,' atebais.

'Dwgyd Sgrwff? Paid â siarad yn wirion! Pwy fase'n moyn dwgyd peth mor salw?'

Ro'n i mor grac nes mod i'n berwi – sut galle unrhyw un siarad fel 'na am Sgrwff?

'Ma' cymeriad 'da Sgrwff, ac ma' hynny'n fwy pwysig o lawer na wyneb pert. Wyt ti wedi edrych yn y drych yn ddiweddar?' holais. 'A beth bynnag, ma' pobl yn dwyn cŵn y dyddie hyn, ac yn eu gwerthu nhw i 'neud arbrofion arnyn nhw. Sa i'n moyn i hynna ddigwydd i Sgrwff.'

'Cŵl 'ed, gwd boi! Paid â cholli dy limpyn. Jocan o'n i. Ti'n dod i weld y gêm? Dwi'n credu y gallwn ni faeddu bois Penrhewl fory. Ma'n hen bryd i rywun 'neud. Byth er pan enillon nhw bencampwriaeth y Sir, maen nhw'n credu taw nhw yw'r ail Gryse Duon. Fyddwn i ddim yn synnu petaen nhw wedi dechre dysgu 'neud yr 'Haca' hyd yn oed! Dere â Sgrwff 'da ti, bydd e'n joio. Does dim siop bwtsiwr yn agos i'r lle!' chwarddodd Josh fel petai e newydd ddweud jôc ore'r ganrif.

Dyna beth oedd panig! Pa gelwydd allwn i

weud nawr? Cyn hir, bydda i wedi anghofio pa gelwydde dwi wedi'u dweud.

'Na, fi'n ffaelu – ma' Tad-cu a Mam-gu'n dod ac ma'n rhaid i fi helpu Mam. Pob lwc fory Josh, wela i di ddydd Llun.'

Whiw! Dyna beth o'dd chwysfa! Ro'dd y darn am helpu Mam yn wir – byddai hi'n siŵr o fod angen help. Brynes i gylchgrawn ambyti cŵn ac wedyn y ffowlyn. Jiw, ro'dd e'n drwm. Heblaw am hynny, dwi'n credu y byddwn i wedi mynd i orsaf yr heddlu i holi am Sgrwff cyn mynd sha thre. Ro'dd hiraeth yn fy nhagu i.

Ro'dd Mam yn arbennig o neis drwy'r dydd. Dwi'n credu ei bod hi'n teimlo'n euog am 'neud i mi fynd â Sgrwff at yr heddlu. Amser te, meddai, 'Ti'n gwbod beth, Twm, byddai'n syniad da i ti gael un o dy ffrindie i aros yma ambell nos Sadwrn. Bydde'n gwmni i ti ac Ifan. Gallech chi gael pitsa neu fwyd têc-awê neu rywbeth. Fyddet ti'n joio hynny? Dyw e ddim yn beth braf iawn i neb fod ar ei ben ei hun bob nos Sadwrn. Ma' noson ganol wythnos yn wahanol rywsut.'

Cael ffrind yma? Ro'n i'n moyn dweud, 'Byddwn, Mam. Byddwn i'n dwlu cael un o'r bois i aros yma, cael têc-awê a lot o sbri – ond

Mam, ma' Ifan 'ma. Dychmygwch un o'r bois yn 'y ngweld i'n gwisgo fy ffedog wrth fwydo Ifan. Dim un o'ch syniade gore chi, Mam.' Ond wedes i 'run gair.

Es i mas i'r cefn sawl gwaith y noson honno gan hanner gobeithio am wyrth ac y byddwn i'n gweld Sgrwff yn ishte yno 'da un glust i fyny ac un glust i lawr. Ond does dim gwyrthiau'n digwydd i'n teulu ni.

Wedi i Mam ddod sha thre, fe ddodon ni Ifan yn y gwely ac wedyn dyma ni'n ishte lawr i wylio *Match of the Day*. Gog o'dd Dad. Ro'dd e'n fwy o ddyn pêl-droed na dyn rygbi, ac ro'dd Mam yn arfer gwylio'r rhaglen 'da fe bob nos Sadwrn. Ers y ddamwain, dwi'n aros lawr i gadw cwmni iddi. Rhaid i mi gyfaddef, dwi'n cael sbri wrth wrando ar Mam yn gweiddi ac yn dweud wrth y chwaraewyr beth i'w 'neud. Ond dyw hi erioed wedi deall y rheol camsefyll. Os yw hi'n hoffi un o'r timau sy'n chware, mae hi'n beio'r dyfarnwr am bopeth os byddan nhw'n colli.

Sa i'n credu rywsut y bydde'r bois yn deall pam mod i'n hoffi gwylio *Match of the Day* 'da Mam. '*Not very cool!*'

Bues i a Mam wrthi fel lladd nadredd fore
dydd Sul. Mae Mam yn dweud mod i'n *dab
hand* ar grafu tatws a moron erbyn hyn. Yn
aml iawn, mae hi'n trio 'mherswadio i i baratoi
winwns ar gyfer y stwffin, ond dwi'n dweud
bob tro: 'No wê José.' Ro'dd Mam wedi 'neud
crwmbwl afal hefyd a lot o gwstard.

Er mod i'n brysur rhwng helpu Mam a
gofalu am Ifan, do'n i ddim yn gallu peidio â
meddwl am Sgrwff. Byddwn i wedi hoffi siarad
amdano fe 'da Mam, ond do'n i ddim yn moyn
difetha'r bore. Oherwydd bod Mam-gu a Tad-
cu'n dod draw, ro'dd Mam wedi gwisgo Ifan
yn smart mewn trowser a lot o bocedi ynddo, a
chrys-T gyda 'Capten Cymru' arno fe. Mae
Ifan yn dal i fod yn grwt pert o hyd, er bod
ganddo graith ar ei dalcen a'i wefus. Erbyn
hyn, sa i'n sylwi cymaint â hynny arnyn nhw.
Ro'n i'n edrych ymlaen at weld Tad-cu a
Mam-gu, achos bydde Tad-cu a fi'n mynd mas

yn fuan wedyn er mwyn i Tad-cu gael ymestyn ei gocse ar ôl gyrru'r car.

Allwn i ddim llai na chwerthin pan weles i Mam-gu'n dod i'r tŷ, ac ro'dd gwên ar wyneb Mam hefyd. Mae Mam-gu wedi lliwio'i gwallt yn rhyw fath o goch. Ro'dd hi wedi'i liwio fe ei hunan a dwi'n siŵr nad o'dd hi wedi darllen y cyfarwyddiade'n iawn. Naill ai hynny, neu ro'dd hi wedi gadael y lliw ar ei gwallt yn rhy hir.

'Wel, dy'ch chi ddim am weud rhywbeth am y gwallt?' gofynnodd Mam-gu cyn gynted ag ro'dd ei throed dros y rhiniog. 'Sa i'n siŵr os ydy e'n siwtio lliw 'y nghroen i, ond ma'n neis cael *change* bach ambell waith. Bydde cwpwl o *highlights* yn codi peth ar dy ysbryd dithe, hefyd, Sali,' meddai hi wrth Mam.

'Ma'n ysbryd i'n iawn, diolch. Dewch mewn o'r drws 'na. Ma'r tegell wedi berwi,' meddai Mam.

Mae'n rhaid i mi gyfadde, ro'dd Mam-gu'n fy atgoffa i o fathodyn yr Urdd. Ro'dd ei gwallt yn goch, ei siwmper yn wyn a'i sgert yn wyrdd. Mae Ifan yn adnabod Tad-cu a Mam-gu. Pan ddaethon nhw i mewn i'r lolfa stwffiodd Ifan ei ddwylo i'w geg a 'neud ei syne hapus.

'Ble ma'r ddishgled 'na, Sali?' gofynnodd Tad-cu. 'Ma' angen i mi ymestyn 'y 'nghoese, a dwi'n moyn sgwrs 'da'r dyn ei hun, Mr Twm Dafis.'

Do, fe ges i a Tad-cu sgwrs fach. Aeth hi rywbeth fel hyn:

'Wel, ro'n i'n clywed dy fod ti'n moyn cadw'r ci strae 'na fuodd yn dy ddilyn di?'

'Odw, dwi bron â marw eisie'i gadw e . . . ond erbyn hyn ma' fe 'da'r RSPCA . . . ar ôl i mi fynd â fe at yr heddlu. Falle bod rhywun wedi dod i'w nôl e. Beth bynnag, dyw Mam ddim yn fodlon i mi 'i gadw fe.'

'Reit, gwd boi, arafa nawr. Pam ti'n moyn ei gadw fe?'

'Dwi'n dwlu arno fe, ac ma' fe'n dwlu arna i. Tad-cu, ma' fe wedi 'nilyn i gatre o'r ysgol, ac aros amdana i. Ma' fe'n gwmni da pan ma' Mam mas yn gweithio. Ac ma' Ifan yn ei hoffi e hefyd. Es i ag Ifan mas i'w weld e. Ro'dd e'n rhoi ei law ar Sgrwff ac yn 'neud ei syne hapus. Bydde fe'n ffrind i ni'n dau.'

'Ti wedi rhoi digon o resyme i fi nawr. A dyw dy fam ddim yn moyn 'i gadw fe, te?'

'Na. Ma' hi'n dweud does dim amser 'da fi i ofalu amdano fe gan mod i'n helpu i ofalu am

Ifan. Tad-cu, yr unig bethe dwi'n 'neud yw mynd i'r ysgol, edrych ar y teledu, whare geme ar y Nintendo a gofalu am Ifan. Dwi'n dechre cael llond bola.'

Gafaelodd Tad-cu yn fy sgwydde i a dweud, 'Gad ti bopeth i fi, gwd boi. Rhaid i ni sorto pethe mas. Dwyt ti ddim yn cael llawer o sbri, nag wyt ti? Dere, mae'n amser cinio. Dwi bron â llwgu!'

Ro'dd y cinio'n ffein, a Mam-gu'n cael bwydo Ifan heddiw. Dyna drueni ei bod hi'n gwisgo ffedog felen lachar dros ben y lliwiau eraill i gyd!

Ar ôl cinio, cynigiodd Tad-cu olchi'r llestri 'da Mam er mwyn i Mam-gu gael mynd mas.

'Dere, Twm,' meddai Mam-gu. 'Awn ni ag Ifan draw i'r parc. Fe fydd e wrth ei fodd yn gweld yr hwyed ar y llyn ac yn gwylio plant yn rhedeg o gwmpas y lle. Awn ni â'i fîb e, er mwyn i ni gael hufen iâ.'

Er bod Mam-gu'n garedig dros ben, do'n i ddim yn siŵr a o'n i'n moyn bod mas 'da bathodyn yr Urdd ar ddwy goes. Beth fydde pobl yn ei feddwl? Ond o leia ro'dd hi wedi tynnu'r ffedog croen banana bant! Wrth gwrs, ro'dd fy mêts wedi bod yn chware rygbi yn y bore, felly ro'n i'n weddol saff na fydden nhw o gwmpas y lle.

Dyma fi'n rhoi galwad i Ryan ar fy ffôn symudol i gael hanes y gêm, ac ro'dd e ar ben ei ddigon gan eu bod nhw wedi rhoi crasfa i fois Penrhewl. Ni, Ysgol y Gelli, wedi maeddu Ysgol Penrhewl o dri deg chwech pwynt i ddim! Ac ro'dd Ryan wedi sgorio dau gais. Waw! Ro'n i'n falch dros ben. Ond fedrwn i ddim peidio teimlo ychydig yn eiddigeddus achos ro'n i'n gwbod mod i cystal chwaraewr â Ryan, os nad gwell. Ond fedra i 'neud dim ynghylch y peth. Dwi ddim yn gallu aros ar ôl yr ysgol i ymarfer gyda gweddill y tîm. Wrth gwrs, fe fyddan nhw'n siarad am y gêm bob munud fory, a minne'n teimlo reit mas ohoni.

'Enillodd y bois 'de?'

'Do, Mam-gu.'

Edrychodd Mam-gu'n graff arna i. 'Byddet ti'n dwlu bod 'da nhw, yn byddet ti Twm? Petait ti wedi bod yn whare heddi, fe fyddwn i'n rhoi gwobr i ti am ennill, a phetait ti wedi sgorio cais bydde'r wobr hyd yn oed yn fwy. Gwthia di gadair olwyn Ifan am funud i mi gael twrio yn y bag 'ma.'

Mae Mam-gu'n sbesial o garedig, ac fe ges i

bum punt ganddi, gyda'r gorchymyn: 'Paid â dweud gair wrth neb. Ein cyfrinach ni'n dau yw hyn.'

Roedden ni'n cael 'cyfrinach' bob tro roedden ni'n cwrdd!

Wrth gwrs, fe gawson ni i gyd hufen iâ, a Mam-gu'n bwydo un Ifan iddo. Diolch byth bod ei bag yn hanner llawn o hancesi papur! Ond ro'dd Ifan yn cael sbri gyda'i ddwylo yn ei geg yn gymysg â'r hufen iâ, a Mam-gu'n chwerthin am ei ben ac yn esgus rhoi stŵr iddo fe.

Pan gyrhaeddon ni sha thre, meddai Tad-cu: 'Twm, ma' dy fam a fi wedi bod yn meddwl.'

'Jiw, ro'n i'n meddwl bod ôl straen arnot ti, Ianto bach,' chwarddodd Mam-gu.

'Ni'n credu y bydde ci yn gwmni mawr i ti. Ond ma'n rhaid i ti addo y byddi di'n gofalu amdano fe,' meddai Tad-cu. 'Dwi wedi ffonio'r heddlu a maen nhw wedi mynd â'r ci ffeindiest ti at yr RSPCA. Ffonies i'r RSPCA ond ffaeles i gael ateb. Fe wnaiff dy fam ffonio fory, pan fyddi di'n yr ysgol, i weld ble ma' fe. Neu galli di gael ci arall. Gei di fynd i gatre cŵn a dewis yr un ti'n moyn.'

Ro'n i mor falch, ro'n i bron â llefen.

'O! Diolch, Tad-cu! Diolch, Mam! Dwi'n addo gofalu amdano fe. Sgrwff fi'n moyn. Sgrwff yw 'nghi i!'

Ro'n i mor hapus â'r gog. Ro'n i'n mynd i dy gael di'n ôl, Sgrwff!

8

Ro'n i'n iawn. Y bore wedyn, gêm dydd Sadwrn o'dd y cwbwl o'dd ar feddwl y bois, ac fe ddechreuodd y dathliade wrth aros am y bws ysgol. Roedden nhw wedi cael y sgôr uchaf erioed yn erbyn Penrhewl. Gan fod llawer o'r tîm yn teithio ar yr un bws â fi, bob tro ro'dd aelod arall yn dod ymlaen ro'dd y bois eraill yn codi i guro'i gefn a phawb yn gweiddi. Ac aeth hyn ymlaen am saith milltir!

Ro'n i mor falch bod ein bois ni wedi ennill, ond fe fyddwn i wedi rhoi'r byd am gael bod yn un ohonyn nhw, yn dringo ar y bws a phawb yn moyn curo 'nghefn i. Pawb yn moyn dweud rhywbeth wrtha i a finne'n trio cerdded rhwng y sedde, yn gwenu'n dwp, yn teimlo'n falch ond yn trio peidio dangos hynny. Ond ro'n i'n gwbod na fydde hynny byth yn digwydd i mi. Oherwydd Ifan, do'dd y peth ddim yn bosib.

Wrth gwrs, fe allai rhywbeth ddigwydd pan oedden ni'n cael gêm rhwng y llysoedd neu yn ystod y wers chwaraeon, ond do'dd hynny ddim yr un peth o gwbwl. Ar adegau felly, fydde'r prifathro ddim yn cyhoeddi'r gamp arbennig yn y gwasanaeth, nac yn fy enwi am sgorio cais er mwyn i bawb arall allu curo dwylo. Fydde fe ddim yn ddigwyddiad digon pwysig. Fydde fy enw ddim chwaith yn ymddangos yn y golofn Newyddion o'r Ysgolion yn y papur lleol, nac yn *Clonc y Cwm*, ein papur bro. Ro'dd Mam yn cadw hwnnw i Tad-cu a Mam-gu bob mis ac fe fydden nhw wedi gweld enw Twm Dafis, blwyddyn wyth ynddo fe. Dwi'n gwbod y bydde Tad-cu wedi bod wrth ei fodd yn ei ddangos i'r dynion yn y gwaith a'i fêts yn y Clwb ar nos Wener. Ro'dd Tad-cu wedi bod yn chwaraewr rygbi eitha da yn ei ddydd, medde fe, ac mae'n rhaid bod hynny'n wir, achos ro'dd Mam-gu'n cytuno 'da fe. Dyw hi ddim yn cytuno â phopeth mae e'n ei ddweud. Sawl gwaith glywes i fe'n dweud:

'Ro'n i'n ochor-gamwr o fri. Tase Carwyn James ddim wedi bod yn whare yr un pryd â fi, bydde fy ochor-gamu wedi ennill lle i fi yn nhîm Cymru. Sdim dowt.'

Do'dd Mam-gu'n dweud dim! Ond fe wedodd hi wrtha i unwaith:

'Paid â dweud wrth neb arall, Twm, ond ro'dd Carwyn flynyddoedd yn hŷn na Tad-cu. Cofia, fuodd Carwyn yn rhoi cwpwl o dips iddo fe a'r bois lawr yng nghae rygbi'r pentref ac ro'dd Tad-cu'n eitha cyfarwydd ag e.'

Dwi'n cofio Tad-cu'n dweud unwaith, pan oedden ni'n dau'n gwylio Cymru'n chware ar y teledu: 'Dishgwl di ar Shane Williams – dyna i ti dy dad-cu 'slawer dydd.'

'O'ch chi 'run peth â Shane?' gofynnes yn syn.

'Ro'dd Tad-cu dipyn yn dalach!' meddai Mam-gu â gwên yn ei llais, gan roi winc fawr arna i.

Es i deimlo'n eiddigeddus iawn yn y gwasanaeth y bore hwnnw, gan i'r prifathro wahodd y tîm rygbi i gyd lan i'r llwyfan a phawb yn cymeradwyo. Gan fod Ryan, Josh a Huw yn y tîm, ro'dd tri lle gwag o 'nghwmpas i. Teimlwn yn unig iawn. Ro'n i'n teimlo bod pawb yn edrych arna i'n sefyll ar fy mhen fy hun fel pelican. Ro'n i ar fy mhen fy hun oherwydd Ifan. Am unwaith, ro'n i'n edrych ymlaen at fynd i'r wers gynta. Ond wedyn, unwaith y dechreuodd y wers, do'n i'n gallu 'neud dim ond meddwl tybed a o'dd Mam wedi gallu cael Sgrwff yn ôl i mi?

Mae 'na un crwt yn ein dosbarth ni na alla i mo'i oddef. Sa i'n gwbod beth sy'n bod arno fe. Sa i wedi 'neud dim byd iddo fe erio'd, ond mae e'n gas wrtha i'n aml. Dyw e ddim yn byw'n bell iawn oddi wrtha i ond fyddwn ni byth yn cerdded at y bws 'da'n gilydd, na sha thre 'da'n gilydd. Mae 'na ryw hen wên od ar ei wyneb e drwy'r amser. Wedodd Ryan ei fod e a'i ffrind yn debyg i Shinach a Gingron yn llyfre Noddy – mae'u meddylie nhw'n gweithio yn yr un ffordd.

Y bore 'ma, wrth gerdded lawr y coridor, gwthiodd Shinach fi â'i ysgwydd a 'neud i mi fwrw yn erbyn Gingron. Dyma fi'n troi i edrych arno, ond wnaeth e ddim byd ond gwenu'n dwp a dweud 'Sori'. Amser egwyl, ro'n i'n hwyrach na'r bois eraill yn dod mas o'r wers am fod Miss yn moyn rhoi fy llyfr Mathemateg yn ôl i mi er mwyn gallu egluro rhywbeth. Do'n i ddim wedi sylwi bod Shinach a Gingron yn cuddio'n llechwraidd ar bwys y drws. Wrth i fi ddechrau cerdded i lawr y coridor, fe ddaethon nhw i'r golwg a dechrau 'nilyn i. Wnes i ddim cymryd sylw ohonyn nhw, dim ond cerdded ling-di-long i gyfeiriad y ffreutur i gael rhywbeth i'w yfed. Wrth iddyn nhw ddod yn nes ata i, ro'n i'n gallu 'u clywed nhw'n siarad:

'Dyw'r Twm 'na ddim yn gallu whare rygbi fel 'i fêts.'

'Nagyw. Dyw e ddim mor tyff â nhw. Soffti mawr yw e'n y bôn. Rîal paish.'

'Pam ma'n nhw'n hongian rownd 'da fe, sa i'n gwbod, achos dyw e'n ddim mwy na *waste of space.*'

'Ma'n rhaid 'i fod e'n ffaelu 'neud Mathemateg chwaith, neu fydde Miss ddim wedi'i gadw fe'n ôl ar ddiwedd y wers.'

Ro'dd 'y ngwaed i'n berwi, ac ro'n i'n ei chael hi'n anodd ofnadwy i beidio troi rownd a rhoi wad i'r ddau ohonyn nhw. Ond wnes i ddim. Wrth lwc, daeth y bois i gwrdd â fi ac ro'dd Ryan wedi prynu diod i mi yn barod. Aeth y ddau ddihiryn heibio gan ddweud:

'Gwd gêm, Huw. Gwd gêm, Josh. Sbesial, Ryan.'

Ro'n i'n teimlo fel llo lloc.

'Diolch bois,' meddai'r tri a gwenu arnyn nhw.

Do'dd heddiw ddim wedi bod yn ddiwrnod rhy dda, hyd yn hyn. Allai pethe ddim mynd yn waeth. Dim ond gwella allai pethe 'neud. Ti'n gweld, Sgrwff, ro'n i'n byw mewn gobaith dy fod ti'n dod yn ôl. O'dd Mam wedi ffonio'r RSPCA? O'dd hi wedi cael ateb? Pryd o'n i'n mynd i gael dy nôl di? Llusgodd y dydd ymlaen nes o'r diwedd canodd y gloch hanner awr wedi tri. Ro'dd fy nghalon yn curo'n gyflymach a chyflymach wrth i'r bws nesáu at gatre. Wrth i mi gerdded at y tŷ, ro'dd hi'n curo mor uchel nes prin ro'n i'n gallu clywed dim byd arall. Dyma fi'n rhedeg y canllath olaf gan dy ddychmygu di, Sgrwff, yn yr ardd gefn yn aros amdana i a gwên ar dy wyneb. Rhuthres i mewn drwy'r drws.

'Ble mae e, Mam?'

'Do'dd e ddim yna, bach.'

'Be?' Poerais y gair allan. 'Ble mae e?'

'Dy'n nhw ddim yn gwbod, Twm. Rhywsut neu'i gilydd, fe lwyddodd Sgrwff i redeg bant.'

'Odyn nhw wedi bod yn chwilio amdano fe?'

'Odyn, Twm, ac ma' gan y plismyn ddisgrifiad ohono.'

'Ers pryd ma' fe wedi mynd?'

'Bore 'ma, pan o'n nhw'n mynd â'r cŵn mas am dro.'

Ro'n i'n teimlo'n ofnadwy. Do'dd dim byd 'da fi i edrych ymlaen ato nawr. Dim byd ond cael 'y ngadael mas o'r tîm rygbi; Shinach a Gingron yn siarad amdana i; gorfod newid fy nillad i fwydo Ifan; ac aros yn y tŷ bob nos ar 'y mhen fy hun heblaw am Ifan.

Bywyd? Dyw hwn ddim yn fywyd o gwbwl.

9

Ti'n gwbod beth, Sgrwff, heblaw am y noson y daethon nhw i ddweud wrthon ni am y ddamwain, dyma noson waetha 'y mywyd i. Ro'n i bron â marw'n moyn mynd mas i chwilio amdanat ti. Mynd mas? Dim gobaith caneri. Newid. Bwydo Ifan. Blincin jeli coch a hufen iâ yn un drybôl dros Ifan. Nôl diod i Ifan. Ifan yn poeri'i ddiod mas. Glanhau Ifan. Trio gwenu ar Ifan. Ifan. Ifan. Ifan. Ifan yw fflipin popeth! Ges i doc a chaws a phicl. Yr un hen beth ag arfer, a chwpwl o gacs. Gwylio'r teledu, er mwyn i Ifan gael gweld cwpwl o raglenni. Sa i'n credu bod Ifan yn deall yr un gair, ond mae'n gweld y lliwie a'r symudiade ac yn clywed y sŵn. Yna, rhaid i mi feddwl am waith cartref ac ailedrych dros y Mathemateg cyn anghofio beth wedodd Miss.

'Ifan, ti'n lwcus nad oes gwaith cartref 'da ti. Ifan, gwranda arna i. Tynna dy ddwylo mas o dy geg a gwed rywbeth. Pam na wnei di drio 'neud siape llythrenne 'da dy wefuse? 'Drych, Ifan. Fel hyn, Ifan. Wyt ti'n gallu 'neud unrhyw beth heblaw gwenu? Mae'n rhaid dy fod ti'n hapus. Wel, os wyt ti, ti yw'r unig un sy'n hapus yn y tŷ 'ma. Reit Ifan, gan nad oes unrhyw sens yn dod mas o dy ben di, dwi'n mynd i ffonio Ryan i gael clonc.'

Wrth gwrs, ro'n i wedi anghofio bod Ryan yn mynd i'r Clwb Nos Lun, yn yr eglwys. Math o ysgol Sul heb fod yn ysgol Sul yw'r Clwb. Ro'n inne'n arfer mynd, ond sa i wedi bod ers y ddamwain. Roedden ni'n cael stori, canu a gweddi, ac wedyn yn 'neud gwahanol weithgaredde. Ro'dd bwrdd dartie yno, tennis bwrdd a sgitls, ac roedden ni'n cael bisgïen a diod hefyd.

Ro'dd e fel math o glwb ieuenctid, ond gyda'r eglwys. Adeg y Nadolig roedden ni'n cynnal gwasanaeth a mynd i Abertawe i weld pantomeim. Yn yr haf, roedden ni'n mynd am drip i Ddinbych-y-pysgod ac Oakwood. Whare teg, mae Ifan a fi'n dal i gael anrheg bob Nadolig, 'run peth â'r plant eraill. Mae'r Ficer wedi bod yma'n gofyn odw i'n moyn cael Bedydd Esgob, ond yn y 'Clwb Nos Lun' maen nhw'n cael y gwersi ar gyfer hynny. Wedodd hi y bydde hi'n dod i'r tŷ i 'mharatoi i, ond eglurodd Mam wrthi mor anodd fydde hynny gyda Mam mas a dim ond fi yma i ofalu am Ifan.

Wedyn, ffoniodd Mam-gu. Wrth gwrs, ro'dd hi'n moyn gwbod hanes Sgrwff ac yn siomedig iawn o glywed 'i fod e ar goll. Dywedodd y bydde Tad-cu'n dod i'n helpu i i ddewis ci arall. Ond sa i'n credu 'i bod hi'n deall taw Sgrwff fi'n moyn, nid rhyw gi arall. Sa i wedi dechre'r gwaith cartref eto. Rhaid symud coese Ifan gynta.

'Dere, Ifan. Ymarferion. Y gampfa nawr. Lan a lawr. Lan a lawr. Lan a lawr. Mewn a mas. Mewn a mas. Mewn a mas. Plygu pen-glin. Plygu pen-glin. Plygu pen-glin.'

O na! Rhaid i Ifan gael diod. Bydd eisie swper arno fe cyn hir hefyd. A finne.

'Diod, Ifan? Dere, gwd boi, tria ddweud "plîs". Ffedog i Twm. Diod i Twm. Beth y'n ni'n mynd i 'neud, Ifan? Odyn ni'n mynd i whare Cymundeb, fel ma' Ryan yn 'i 'neud yn y Clwb Nos Lun? Corff Crist. Gwaed Crist. Neu odyn ni'n mynd i whare tafarn? Ie. Whare tafarn, fi'n credu. Iechyd da!

'Jiw, ma' hi bron yn wyth. Reit Ifan, dwli

drosodd. Swper nawr ac wedyn rhaid i fi 'neud y gwaith cartre Mathemateg.'

Fe dwymes i fwyd Ifan yn y meicro-don. Yr un bwyd â fi o'dd e, ond bod ei fwyd e wedi'i

droi'n gawl trwchus. Ymolchi Ifan, a swper i mi. O'dd, ro'dd e'n ffein. Caserôl afu a bacwn, tatws pots a moron, a digon o refi. Reit, clirio lan. Ac wedyn gwaith cartref.

Mathemateg. O leia dwi'n deall hwnnw nawr. Mae Miss yn dda am egluro. Cymraeg sy nesa. Sa i'n cofio beth yw e ond, whare teg, ni wedi'i gael e ers bron i wythnos. Shwt mae dishgwl i fi gofio? Dyddiadur gwaith cartref. O! nefi. Blincin traethawd erbyn fory, ar 'Edrych Ymlaen', i Betsan Brysur. Sa i byth yn mynd i allu gorffen hwnna erbyn y bore, ac mae hi'n gallu bod yn gas. O! wel. Fentra i ddim gofyn i Mam am nodyn i ddweud mod i heb gael amser, achos dwi'n siŵr o gael llond pen pan ffeindith hi mas fod y traethawd wedi'i osod ers wythnos!

Wnes i ddim hyd yn oed dechre'r traethawd. Erbyn hynny, ro'dd hi'n amser i Mam ddod sha thre. Ti'n gweld, Sgrwff, fe fuodd e'n ddiwrnod ofnadwy rhwng popeth. A do'dd fory ddim yn debygol o fod yn well chwaith. Betsan Brysur. Shinach a Gingron. Ti, Sgrwff, ar goll. Ond, o'r tri, y ffaith dy fod ti ar goll yw'r un gwaethaf o lawer. Ble bynnag wyt ti, Sgrwff, gofala ar dy ôl dy hunan.

10

'Traethodau i mewn, os gwelwch yn dda.' Torrodd llais gwichlyd Betsan Brysur ar draws 'y mreuddwydion i. O'r nefoedd! meddylies. Be dwi'n mynd i 'neud nawr? Esgus mod i heb glywed, a pheidio rhoi fy llyfr i mewn? Na, does neb yn gallu bod yn fyddar i lais Betsan. Rhoi fy llyfr iaith i mewn yn lle'r gwaith cartref, mewn camgymeriad? Na, mae'r lliw'n wahanol. Dweud: 'Sori, Miss, dwi wedi'i adel e gatre, ddo i â fe mewn fory.' Na, dwi wedi defnyddio'r esgus yna'n rhy aml yn barod. Ar ddiwedd y wers es i ati.

'Sori, Miss, ond sa i wedi 'neud y gwaith cartre.'

Bu bron i'w llyged hi neidio allan o'r tu ôl i wydre'i sbectol posh. Ond dyna'r unig beth posh am Betsan. Aeth ei cheg yn un llinell hir denau.

'Pa reswm o'dd gen ti dros beidio'i 'neud o?'

'Ro'dd yn rhaid i mi ofalu am Ifan, 'y mrawd.'

'Bob nos am wythnos? A be am drwy'r dydd ddydd Sadwrn a dydd Sul? Rwyt ti wedi cael y gwaith cartra yma ers wythnos.'

Doedd dim pwynt trio egluro. Dwi ddim yn meddwl ei bod hi'n credu mod i'n gorfod gofalu am Ifan. Mae hyn wedi digwydd 'da sawl athro fwy nag unwaith. Do'n i ddim wedi meddwl peidio â 'neud ei hen draethawd hi. Ar y penwythnos fel arfer mae amser 'da fi i 'neud rhywbeth hir fel blincin traethawd. Ond y penwythnos hwn, fe fu'n rhaid i mi fynd â ti at yr heddlu, Sgrwff, ac wedyn daeth Tad-cu a Mam-gu draw ac fe anghofies i bopeth am y traethawd. Ro'dd gormod o hiraeth 'da fi amdanat ti i feddwl am ddim byd arall. Beth bynnag, shwt mae Betsan Brysur yn meddwl mod i'n mynd i allu ysgrifennu am rywbeth nad ydw i'n gwbod dim byd amdano? Mae'n destun hollol stiwpid! A pham yffach mae hi'n trio dysgu Gog i ni? Hi a'i Chwmrâg dwfwn! Clywes ei gwich unweth eto:

'Rhaid i ti aros i mewn amsar cinio heddiw i'w ysgrifennu, a phob amsar cinio nes y byddi wedi'i orffen. Ty'd yn ôl yma'n union ar ôl dy ginio. Dyma nodyn i ti gael mynd i mewn i ginio gynta. Dos rŵan.'

Pam dyw hi ddim yn dweud, 'Bagla hi' fel pawb arall?

Ro'dd y bois yn cydymdeimlo 'da fi, achos dyna'r unig amser dwi'n ei gael i ymarfer pasio

a chicio pêl a chael sbri. Ond mynd o'dd rhaid. Fel mae Taid yn ei ddweud:

'Ufuddhau i'r drefn.'

Ro'n i'n styc cyn dechre. Does dim byd gwaeth nag eistedd o flaen bwrdd, mewn ystafell ar eich pen eich hun, yn edrych ar dudalen lân o bapur a gwbod bod yn rhaid i chi nid yn unig ei llenwi, ond troi'r dudalen drosodd ac ysgrifennu rhagor. Tra o'n i'n ishte'n fan 'na, yn cnoi 'meiro, ro'n i'n gallu clywed sŵn pawb arall yn chware tu fas. Pawb ond fi.

Shwt dwi'n mynd i ddechre'r traethawd? Ac ar ôl dechre, beth dwi'n mynd i'w ddweud wedyn? Tawelwch. At beth alla i Edrych Ymlaen? At weld Ifan yn cerdded? Wnaiff e fyth. At glywed Ifan yn siarad? Wnaiff e fyth. At glywed athro yn dweud, 'Sdim ots, Twm, gwna fe pan gei di amser.' Ond wnân nhw fyth. Edrych ymlaen at gael Sgrwff yn ôl? Ond ddaw e byth. Aha! Dwi'n gwbod. Alla i ddychmygu dy fod ti'n dal yma, Sgrwff, ac edrych ymlaen at y pethe allen ni 'neud 'da'n gilydd. Hei, Sgrwff, ti wedi rhoi brên-wêf i mi. Bant â'r cart!

Gwaith Cartref
Medi 20

Edrych Ymlaen

Sgrwff yw fy ffrind i. Dyna yw ei enw iawn e. Does ganddo ddim enw arall. Mae sawl un yn credu bod Sgrwff yn edrych yn salw. Mae'n weddol dal, ac mae ganddo flew od. Mae'n debyg iawn i flew brwsh cáns. Hefyd, mae ganddo un glust sy'n sefyll i fyny ac mae'r llall yn mynd am i lawr.

Rydw i'n gwneud lot o bethau gyda Sgrwff. Rydyn ni'n chwarae gyda'n gilydd. Rydyn ni'n gwylio'r teledu gyda'n gilydd. Er nad yw e'n siarad, rydyn ni'n gallu deall ein gilydd. Mae Sgrwff yn gwmni mawr i mi, yn enwedig pan fydd Mam yn gweithio a minnau'n gorfod gofalu am Ifan, ar fy mhen fy hun, ac mae hynny'n digwydd bob nos, heblaw am nos Sul. Bob dydd yn yr ysgol, dwi'n edrych ymlaen at gael mynd gartref. Bydd Sgrwff yn aros amdana i a bydda i'n dweud wrtho fe beth dwi wedi bod yn ei wneud yn ystod y dydd. Mae Sgrwff yn edrych ymlaen at 'y ngweld i hefyd.

Wedyn, cyn gwneud dim byd i Ifan, dwi'n gwneud yn siŵr bod dŵr gan Sgrwff a dwi'n mynd â fe am dro cyn i Mam fynd i'w gwaith. Wedi i mi roi bwyd i Ifan a gwneud yn siŵr ei fod e'n iawn, dwi'n gwneud fy ngwaith cartref. Dwi ddim yn edrych ymlaen at wneud gwaith cartref, achos erbyn hynny dwi wedi blino. Dwi'n edrych ymlaen at fynd ag Ifan mas at ddrws y cefn i weld Sgrwff. Mae Sgrwff yn mynd ato ac mae Ifan yn rhoi ei law arno fe. Dwi'n edrych ymlaen at gael codi bob bore i weld Sgrwff.

Dwi'n edrych ymlaen at weld Mam-gu a Tad-cu'n galw draw i'n gweld ni, a Nain a Taid hefyd, achos mae Mam a fi'n cael tipyn o help gydag Ifan wedyn. Ianto yw enw Tad-cu a Myrtle yw enw Mam-gu. Tudno yw enw Taid a Morfudd yw enw Nain. Maen nhw'n garedig wrth Mam, fi ac Ifan, ac yn garedig wrth fy ffrind i, Sgrwff.

Does dim llawer o bethau dwi'n edrych ymlaen atyn nhw, ond dwi'n edrych ymlaen at y diwrnod pan fydd gan bob un fel fi, sy'n ofalwr ifanc, gerdyn swyddogol yn dweud rhywbeth fel:

'Mae hwn yn ofalwr ifanc a dyw e ddim yn cael cyfle i wneud ei waith cartref bob amser, nac yn gallu cyrraedd bob man mewn pryd. Dyw e ddim yn dweud celwydd.'

Byddai'r cerdyn wedi cael ei arwyddo gan rywun

swyddogol, fel meddyg neu ficer. Nawr dwi'n edrych ymlaen at gael gorffen y traethawd hwn er mwyn cael mynd mas i chwarae amser cinio fory, ac yn rhywle yn fy meddwl dwi'n edrych ymlaen at weld gwyrthiau'n digwydd.

Wrth i mi fynd â'r llyfr a'i osod ar ddesg Betsan, weles i Shinach a Gingron yn pipo arna i drwy wydr y drws, ac yn 'neud siape. Dyna drueni na fyddwn i wedi rhoi yn fy nhraethawd mod i'n edrych ymlaen at weld y ddau yna'n diflannu oddi ar wyneb y ddaear.

11

Pan gyrhaeddes i gatre, ro'n i'n hanner gobeithio dy weld ti yno, Sgrwff. Ro'dd Mam-gu'n cael dishgled o de yn y gegin.

'Haia Mam-gu, be ti'n 'neud fan hyn?' gofynnais.

'Pam? Sdim hawl 'da fi i fod yma?'

'Oes, ond dwyt ti ddim yn arfer dod mor aml.'

Dechreuodd Ifan 'neud ei syne a 'neud jib y jwg achos do'n i ddim wedi 'neud sylw ohono. Felly, es draw ato a gafael yn ei law wlyb. Mae dwylo Ifan wastad yn wlyb am ei fod yn eu stwffio nhw i'w geg o hyd. Diflannodd jib y jwg.

'Ma'r hen greadur bach yn dwlu arnat ti, Twm. Druan â fe yn ei fyd bach ei hunan.'

Cofies am yr hen draethawd bondigrybwyll 'na (un o eirie mawr Dad. Gair Gog, siŵr o fod!). Falle bod Ifan yn gallu edrych ymlaen.

Falle 'i fod e'n edrych ymlaen at weld fi'n dod sha thre bob dydd. Falle bod Ifan yn gallu teimlo hapusrwydd. Wel, wedi'r cwbwl, mae e'n gwenu'n aml.

'Ma' Twm wedi dod sha thre i roi bwyd i ti, Ifan. Ocê? Aros i Twm newid ei ddillad,' dywedais wrtho.

'Fi sy'n rhoi te i Ifan heddiw,' meddai Mam-gu. 'Ishte lawr, Twm, a myn rwbeth yn dy fola.'

Yn sydyn ro'n i'n caru Ifan shwd gymaint, wedes i wrth Mam-gu, 'Ma'n iawn, Mam-gu, fi'n arfer 'i 'neud e. Ni'n cael sbri.'

'Ti'n grwt da, Twm Dafis. Ma' dy fam yn lwcus iawn ohonot ti. Nawr gwranda, fi'n sefyll 'ma heno ac ma' 'da fi gynllun.'

'Ble ma' Mam?'

Ro'n i wedi sylweddoli'n sydyn nad o'dd Mam yma.

'Paid â becso, ma' dy fam yn iawn. Ma' hi'n rhan o'r cynllun mawr. Fe newidiodd hi shifft 'da un o'r lleill am fy mod i yma i dderbyn Ifan gatre o'r ysgol. Fe fydd hi yma tua hanner awr wedi pump, ac wedyn fe fyddi di a fi'n mynd am dro bach pan ddaw hi'n ôl.'

'Am dro bach? Ond i ble?'

'Ni'n mynd i'r dre i gael swper, a dwi wedi

trefnu'n bod ni'n mynd i'r cartref cŵn ym Mhontyrhyd i ti gael gweld ble'r o'dd Sgrwff yn cael ei gadw. Falle y gweli di ryw gi bach arall ti'n hoffi.'

Bydde'n neis mynd allan am swper, sa i wedi 'neud 'ny ers ache.

'Mam-gu, wyt ti wedi bod yn Starbuck's erioed?' holais.

'Nagw i. Pam?'

'Fues i yno unweth 'da Ryan a'i rieni ac ro'dd e mor ddoniol. Ro'dd tad Ryan ishe ordro coffi, felly dyma fe'n dweud, *"Tall Americano extra shot space extra hot,"* i gyd ar un gwynt! Wel, ro'dd e'n swnio mor ddoniol!'

'A beth gafodd e?'

'Coffi!' a chwarddon ni'n dau.

'Wel, jiw, jiw! Bydde'n rhaid i fi fod heb 'y nishgled achos fyddwn i byth yn cofio'r holl shbîl yna. Pam nad wyt ti jest yn gallu dweud, "Dishgled o goffi plîs"?'

Yr unig drafferth o'dd, ro'n i'n gwbod yn iawn na fyddwn i'n gweld yr un ci i gymryd lle Sgrwff. Ro'dd Sgrwff yn sbesial, ond allwn i ddim dweud hynny wrth Mam-gu, ro'dd hi'n edrych ymlaen shwt gymaint. Pam mae popeth heddiw'n 'neud i mi feddwl am Betsan Brysur a'i blincin traethawd? Dyna fe nawr, dwi'n 'edrych ymlaen' at fynd allan i gael swper a bydd mynd 'da Mam-gu'n y car yn sbri.

Es i i newid ac wedyn i fwydo Ifan. Do'dd Mam-gu ddim wedi gwisgo'n rhy ffôl heddiw. Glas tywyll a glas gole o'dd amdani. O leia ro'dd popeth yn las heblaw am y gwallt – ro'dd hwnnw'n dal yn goch.

Cyn gynted ag y cyrhaeddodd Mam, bant â Mam-gu a fi.

Ti'n gwbod beth, Sgrwff, ro'n i'n rhyw hanner gobeithio y byddet ti wedi mynd yn ôl i'r cartref 'na ond doeddet ti ddim. Dyna le swnllyd! Rhesi o gelloedd yn llawn cŵn, a phob un, bron, yn cyfarth. Ro'dd rhai jest yn gorwedd yno a golwg drist ofnadwy arnyn nhw. Rhai'n neidio lan ac yn siglo'u cwt i ddangos eu bod nhw'n eich hoffi chi. Pob un yn moyn i chi fynd â nhw sha thre 'da chi. Does dim byd mwy trist na llyged ci. Ro'dd y fenyw'n dweud bod y rhan fwya ohonyn nhw wedi cael eu cam-drin. Rhai wedi mynd ar goll neu wedi cael eu gadel ar ôl. Ro'dd un neu ddau yno am fod eu perchnogion wedi marw a neb i'w cymryd nhw.

'O! jiw, mae'n ddigon i dorri'ch calon chi.

Y pethe bach! Allwn i fynd â'r cwbwl gatre petai lle 'da fi,' wedodd Mam-gu. 'Ma' 'na sawl un pert yma. Shwt ma' dynion yn gallu bod mor gas, sa i'n gwbod wir!'

'Cofiwch chi,' meddai menyw'r cartre, 'ma' rhai pobl yn talu am gadw'u cŵn yma tra ma'n nhw bant ar eu gwylie. Ma'r cŵn hynny'n cael eu cadw mewn rhan arall o'r adeilad a pheth o'r arian hwnnw'n mynd at gadw'r cŵn strae. Ac ma' 'na bobl garedig sy'n rhoi arian i ni ac yn gadel tunie bwyd a bisgedi cŵn i ni mewn arch-farchnadoedd.'

Dyma Mam-gu'n twrio yn ei bag am arian er mwyn rhoi cyfraniad i'r fenyw.

'Ma' hwn i dalu am beth fwytodd Sgrwff pan o'dd e 'ma. Dwi'n siŵr ei fod wedi bwyta llond ei fola,' meddai.

Ro'n i'n gwbod yn iawn na allwn i ddewis yr un ohonyn nhw. I ddechre, Sgrwff, doeddet ti ddim yno, ac allwn i fyth â dewis un a gadael y lleill ar ôl. Fyddwn i byth yn gallu edrych yn llyged yr un ohonyn nhw a'u gwrthod.

'Ti'n hoffi unrhyw un arbennig?' gofynnodd Mam-gu.

'Mam-gu, sori, dwi'n 'u hoffi nhw i gyd. Ond alla i fyth â mynd ag un a gadael y lleill ar ôl. Os bydde Sgrwff yma, bydde pethe'n wahanol, achos 'y nghi i yw Sgrwff.'

Ro'n i'n brwydro i gadw'r dagre bant. Dwi'n gwbod nad yw bois i fod i lefen, ond ro'dd hi'n

anodd gorfod mynd â gadael y cŵn ar ôl mewn celloedd. Neb yn whare 'da nhw. Neb yn rhoi bach a chwtsh iddyn nhw. Ro'dd y fenyw'n cofio Sgrwff yn iawn. Wedodd hi ei bod hi a

rhyw ddwy arall o'r staff yn mynd â nhw mas am dro, ac wrth i un o'r merched drio rhoi tennyn ar Sgrwff fe lwyddodd i ddianc, a bant ag e fel ergyd o wn. Er eu bod nhw'n ofalus iawn i 'neud yn siŵr nad o'dd ffordd i'r cŵn fynd mas o'r lle, medde'r wraig, ro'dd Sgrwff wedi llwyddo, rywsut neu'i gilydd. Do'dd neb wedi'i weld e ers hynny. Wedodd hi wrtha i am fynd mas i weld y lle, ac fe es i, gan alw 'Sgrwff!' Ond do'dd dim golwg ohonot ti.

Wedi hynny, ar y ffordd i gael swper, gofynnes i Mam-gu ddreifio'n arafach nag arfer, rhag ofn i ni dy weld ti. Ond welson ni ddim golwg ohonot ti.

Ro'dd y byrgyr a'r tships yn ddigon ffein, ond do'dd dim llawer o whant bwyd arna i. Sbageti Bolognese gafodd Mam-gu.

'*Genuine Italian*, ti'n gweld. Ma' bwyd Eidalaidd yn llesol, digon o domatos a garlleg, a dos go dda o gaws ar ei ben.'

'Chi'n dda 'da'r sbageti 'na Mam-gu. Sdim clem 'da fi.'

'Blynyddoedd o bractis. Naill ai hynny neu ma' gwaed Eidalaidd yn yr hen wythienne 'ma'n rhywle.'

Er mod i'n joio 'da Mam-gu, a joio cael bod mas yn rhywle heblaw'r ysgol, ro'n i'n dal i allu gweld y cŵn o flaen fy llyged, a chlywed eu crio a'u cyfarth yn 'y nghlustie. Ble wyt ti, Sgrwff?

12

Pan gyrhaeddon ni'n ôl gatre, ro'dd golwg wedi blino ar Mam.

'Sa i'n gwbod be sy'n bod ar Ifan heno. Dim ond jib y jwg dwi wedi'i gael ganddo drwy'r fin nos, ac ro'dd e'n anobeithiol wrth i mi drio rhoi bwyd iddo fe. Ro'dd y rhan fwya o'i swper yn ei wallt e, yn ei glustie, a thros ei wyneb ym mhobman.'

'Ond mae e'n gwenu'n braf nawr,' meddai Mam-gu. 'Dyw e ddim yn dost neu fydde fe ddim yn gwenu. Hiraeth am Twm o'dd arno fe, fentra i. Do'dd e ddim yn deall pam nad o'dd Twm yma, a dyw'r un bach ddim yn gallu gofyn.'

'Chi'n moyn i fi drio rhoi swper iddo fe, Mam? Oes peth ar ôl?'

'Diolch, Twm. Beth am dy waith cartref di?'

'Ddo i i ben â hwnnw wedyn. Fydda i ddim yn hir yn bwydo Ifan. Ma' Mam-gu'n *dab hand* ar fwyta sbageti, medde hi, a finne'n *dab hand* ar fwydo Ifan.'

Es i lan i newid a gwisgo fy ffedog. Cymerodd Ifan ei fwyd yn iawn gen i. Ro'n i'n eitha balch ohona fy hun, ond fe ges i'r teimlad ofnadwy mod i mewn rhyw fath o garchar a chyn hir na fyddwn i byth yn gallu mynd i unman am fod hynny'n ypsetio Ifan. Gwthies y syniad twp o'm meddwl a mynd at y gwaith cartref.

Saesneg o'dd 'da fi heno. Darn o farddoniaeth o'dd e ac ro'dd e'n ddoniol. 'Warning' o'dd ei deitl a'r bardd o'dd rhywun o'r enw Jenny Joseph. Sôn o'dd e am ryw fenyw'n dweud beth o'dd hi am ei 'neud wedi iddi fynd yn hen. Un o'r pethe ro'dd hi'n sôn amdano o'dd gwisgo piws a choch 'da'i gilydd. Mae Mam-gu'n 'neud hynny'n barod! Well i mi beidio â dangos y darn iddi hi felly, rhag ofn iddi 'neud rhywbeth arall mae'r fenyw'n moyn ei 'neud. Pethe fel dysgu poeri, bwyta tri phwys o sosej mewn un pryd, rhedeg ei ffon ar hyd rheilie'n y dre a mynd mas yn ei sliperi pan fydd hi'n bwrw glaw. Wedyn ro'n i'n gorfod ysgrifennu darn yn dweud beth hoffwn i ei 'neud wedi i mi fynd yn hen.

WHEN

When I am old I shall never wear a tie,

I shall never clean my shoes,

I shall wear odd socks and multi coloured shirts.

I shall have hash browns for breakfast every morning

And chocolate eclairs for tea.

I shall hide around corners and shout 'Boo' at

passers-by

And sit in the park day-dreaming whilst looking at

the sky.

I shall spend my pension

On junk food, trendy clothes and big gold rings,

And say I've no money for parking.

I shall take a sweet from each pick and mix selection

Until my pockets are full, and smile at all shop

assistants.

I shall take bus trips frequently using my bus pass.

Every night I will go out

To the pub, the cinema or both –

Maybe ten pin bowling –

And whistle at girls in skirts.

I'll kick a ball when walking down the street,

I shall have my chest tattooed,

And open my home to all stray dogs.

But that is then, not now.
Because now I have to *be good*.
Now I have to stay in and look after Ifan
And go to school and wear a tie.
Should I practice a little now
And go to school without my tie?

Twm Dafis.

Ro'n i'n eitha plês â hwnna. Dyma fi'n pacio 'mag at y bore, cael gêm fach ar y Nintendo ac wedyn mynd i'r gwely. Ti'n gwbod be, Sgrwff? Ro'n i'n ffaelu'n lân â chysgu. Ro'n i'n gweld a chlywed y cŵn druan drwy'r amser ac yn dychmygu dy fod ti'n crwydro'n rhywle, heb wybod ble i fynd. Oeddet ti'n starfo? O ble roeddet ti'n cael dŵr?

Yna, yn sydyn, ro'n i'n teimlo'n iawn. Dyna'r teimlad rhyfedda – fel taset ti, Sgrwff, yn dweud wrtha i dy fod ti'n ocê. Dyna pryd glywes i'r sŵn. Sŵn ci'n crio. Ro'n i'n meddwl mai dychmygu o'n i. Dyma fi'n eistedd lan a gwrando. Dyna fe eto. Dyma fi'n troi'r gole ymlaen a rhoi cip ar fy wats. Hanner awr wedi un ar ddeg. Yn bendant, nid dychymyg o'dd e. Ro'dd 'na gi'n crio'n rhywle. Codais a mynd at ddrws y ffrynt. Ro'dd pobman yn dywyll.

Dyma fi'n agor y drws a gweiddi. Dwi'n siŵr
bod y stryd i gyd wedi 'nghlywed i.

'Mam, Mam, Sgrwff. Sgrwff, Mam!'

Dyma fi'n rhoi fy nwy fraich am dy wddw di a llefen a llefen. Daeth Mam a Mam-gu i lawr a golwg wedi dychryn ar y ddwy. Ond pan welson nhw pam o'n i wedi gweiddi, dechreuodd y ddwy ohonyn nhw weiddi hefyd. Gest ti ddod i mewn drwy'r drws ffrynt, Sgrwff. Dyna i ti anrhydedd! Sa i'n credu i ti erioed gael cymaint o faldod. Ro'dd Mam a Mam-gu'n ffysan fel dwy hen iâr o dy gwmpas di. Un yn nôl bwyd i ti, y llall yn nôl dŵr, a finne'n eistedd ar y llawr yn dy gwtshio di. Ro'dd dy gwt di'n siglo'n ddi-stop. Do'dd dim bwyd ci 'da ni, felly agorodd Mam dun cyfan o gorn bîff. Dwi'n siŵr nad oeddet ti wedi cael bwyd ers i ti ddianc o'r cartref. Roeddet ti'n ei lowcio i lawr ac yn codi dy ben bob hyn a hyn i edrych arna i. Gwnaeth Mam-gu ddishgled o de yr un i ni, a dyna'r ddishgled ore i mi ei chael erioed. Wedyn, er ei bod bron yn hanner nos, fe ffoniodd Mam-gu i ddweud yr hanes wrth Tad-cu. Drwy lwc, do'dd e ddim yn grac ei bod hi wedi'i ddihuno; ro'dd e mor falch dy fod ti, Sgrwff, yn ôl. Ro'dd fy nghi i'n ôl. Fydde ddim rhaid imi ddweud celwydd wrth y bois, achos fi sy'n berchen Sgrwff nawr. Aeth Mam i chwilio am hen flanced i roi ar lawr yn y stafell-bob-peth a nôl mwy o ddŵr i ti.

'Dyna ni, stafell wely i Sgrwff. Fe fydd e'n glyd fan hyn yn ystod y nos ac fe gawn ni genel iddo fe'n yr ardd gefn yn ystod y dydd,' meddai Mam.

'Fi sy'n talu am y cenel,' wedodd Mam-gu. 'Dwi'n aros yma nos fory eto, felly yn syth ar ôl yr ysgol fe awn ni'n dau i *Pet Land* i brynu cenel iddo fe.'

'Fe bryna i fasged ac fe gaiff Ifan brynu powlen fwyd a phowlen ddŵr,' meddai Mam a gwên fawr ar ei hwyneb. Roedden ni i gyd yn gwenu, hyd yn oed ti, Sgrwff.

'Grêt! Ond sut gawn ni'r cenel i mewn i'r car?' o'dd 'y nghwestiwn nesa i.

'Paid ti â becso am hynny – fe fydd Mam-gu wedi sorto popeth mas. Gwely nawr, achos fe fydd yn rhaid i ti godi'n gynt fory er mwyn mynd â Sgrwff am dro bach cyn dal y bws. Cysga'n dawel, Twm.'

Rhoddais gip i mewn i'r stafell-bob-peth. Roeddet ti'n cysgu'n sownd, Sgrwff – un glust i fyny ac un glust i lawr.

'Nos da, Sgrwff. Diolch i ti am ddod yn ôl,' sibrydais.

Do'dd dim rhaid i Mam 'y neffro i fore trannoeth. Ro'n i ar ddihun cyn côr yr adar hyd yn oed, ac yn ffaelu credu dy fod ti'n ôl, Sgrwff. Pan laniodd bys fy wats ar chwarter i saith, dyma fi'n codi a thaflu 'nillad amdana i. Ro'n i'n teimlo mor falch yn cerdded i lawr yr hewl gyda Sgrwff ar dennyn, ac yn gobeithio y bydde rhywun yn dod mas i 'ngweld i. Ond ro'dd hi braidd yn gynnar. Yr unig un weles i o'dd Meic, dyn y llaeth.

'Ti sy â hwnna?' gofynnodd.

'Ie! Fuodd e ar goll ond fe ddaeth e'n ôl neithiwr. Ni'n mynd i brynu cenel iddo fe heddi yn *Pet Land*.'

'Bydd angen cenel go swmpus ar hwnna, sdim dowt. Shwt ti'n mynd i ddod â'r cenel sha thre?'

'Ma' Mam-gu'n dweud sortith hi bethe mas.'

'Gwed wrth Mam-gu y galla i gario'r cenel ar y fflôt laeth os yw hynny o help iddi. Mrs beth yw enw Mam-gu?'

'Mrs Jones.'

''Na fe, te. Ofynna i yn y siop am genel Mrs Jones. Beth yw enw'r ci?'

'Sgrwff.'

'Addas dros ben,' wedodd Meic, a gwên ar ei wyneb.

Ro'n i wrth 'y modd yn dweud wrth y bois na fyddwn i'n mynd sha thre ar y bws am fy mod i a Mam-gu'n mynd i brynu cenel i Sgrwff. Dwi wastad yn mynd ar y bws. Eglures i mai yn y tŷ mae e'n cysgu'r nos ond bydd angen cysgod arno fe tu fas pan fydd y tywydd yn dechre oeri. Wrth gwrs, glywodd Gingron ni'n siarad am y ci a gofynnodd yn ei hen lais cryglyd:

'A pha frîd yw'r hownd 'ma?'

'Ma' fe ar ei ben ei hun. Ma' fe'n unigryw,' dywedais, a cherdded bant 'da'r bois dan chwerthin. Sa i'n credu bod Gingron yn gwbod beth yw ystyr unigryw, ta beth.

Cafodd Mam-gu a fi sbri yn *Pet Land* ac fe gafodd Sgrwff y cenel gore yn y siop. Cafodd fowlenni oddi wrth Ifan, a basged oddi wrth Mam, ac fe brynes i dennyn iddo fe. Hefyd fe wnaeth Mam-gu a fi label siâp asgwrn iddo ar gyfer ei goler, a rhoi ei enw a rhif ffôn arno. Ei di ddim ar goll yn rhwydd iawn eto, Sgrwff. Rwyt ti yma i aros.

13

Wyddost ti be, Sgrwff, wedi i ti ddod yn ôl, ro'dd popeth yn haws rywsut. Do'n i ddim yn teimlo'n unig gyda'r nos pan o'dd Mam yn y gwaith, ac ro'dd gen i rywbeth i edrych ymlaen ato ar ôl mynd gatre. Roeddet ti'n cael dod i'r stafell fyw gyda'r nos, dim ond i ti gadw draw oddi wrth Ifan. Do'dd dim ots 'da Ifan nad o'dd e'n cael dy gyffwrdd, ond ro'dd e'n mwynhau dy weld ti – ro'dd gwên lydan ar ei wyneb ac ro'dd ei ddwylo'n ei geg drwy'r amser. Roeddet ti wedi dysgu mynd yn ôl ohonot ti dy hun i'r stafell-bob-peth pan o'n i'n rhoi bwyd i Ifan er mwyn i ni allu canolbwyntio.

Ro'n i'n cael fy mhen-blwydd wythnos ar ôl i ti ddod yn ôl, Sgrwff, ac mae Taid a Nain wastad yn dod i lawr ar gyfer 'y mhen-blwydd i.

Ro'dd Mam wedi gofyn ers sbel beth o'n i'n moyn ar 'y mhen-blwydd. Ro'n i'n gwbod beth hoffwn i, ond do'n i ddim yn gwbod shwt fyddwn i'n ei gael e. Ifan druan o'dd y drwg unwaith eto. Ro'n i'n moyn mynd i weld y Sgarlets yn chware yn erbyn Munster. Dyna'r unig beth ro'dd y bois yn siarad amdano. Ro'dd Ryan wedi dweud y gallwn i fynd 'da fe a'i dad achos ma' tocyn tymor 'da nhw. Ond fydde neb i ofalu am Ifan, achos ma' Mam yn gweithio bob nos Sadwrn. Do'dd y gêm ddim yn dechre tan hanner awr wedi chwech. Ro'dd y bois wedi gweld y gêm yn erbyn Leinster hefyd. Wrth gwrs ro'n i wedi'i gweld hi ar y teledu, ond dyw hynny ddim yr un peth â gallu dweud, 'I was there'. Dwi'n cofio mynd pan o'n i'n fach – tua chwech oed – 'da Dad i Barc y Strade, a Dad â'i fraich amdana i, a finne'n bwyta *hot dog* ac yn 'neud 'y 'ngore glas i ddeall beth o'dd Dad yn ei ddweud wrth egluro'r gêm. Ro'dd lot o blant bach yno a phob un yn gwisgo crys y Sgarlets.

Ro'dd Taid a Nain yn dod i lawr ar y dydd Iau. Do'dd Mam yn sôn dim am 'y mhen-blwydd i. Ro'n i'n gweld hynny braidd yn od. Pan ddes i gatre'r nos Iau hwnnw, ro'dd Nain a Taid wedi cyrraedd. Roedden nhw'n dy hoffi di, Sgrwff, a Taid yn meddwl 'ei fod yn beth da iawn i'r hogyn bach gael cwmpeini'.

'Ma' gynnon ni bresant pen-blwydd i ti,' meddai Nain. 'Mi gei di o ddydd Sadwrn. Fedri di aros tan hynny?' Chefais i ddim awgrym o beth o'dd e.

Do'dd Mam byth wedi sôn gair am anrheg. Fore Sadwrn fy mhen-blwydd, Medi 29, ro'dd amlenni wrth ochr fy mhlât amser brecwast. Cardie oddi wrth wahanol bobol. Siec oddi wrth Tad-cu a Mam-gu i brynu beth bynnag o'n i'n moyn, a gorchymyn i gofio'i wario arna i fy hunan ac nid arnat ti, Sgrwff. Wedyn, amlen oddi wrth Taid a Nain. Bu bron i mi gael haint pan agores i hi. Ynddi, ro'dd dau docyn i Barc y Sgarlets i weld y gêm yn erbyn Munster. Un i fi ac un i Taid. Waw! Ond ble o'dd anrheg Mam?

'Be' sy, Twm? Ti'n meddwl nad o's dim byd 'da Ifan a fi i ti?' holodd Mam. Aeth i mewn i'r gegin a dod â dau barsel oddi yno, un oddi wrth Ifan ac un oddi wrthi hi. Ro'n i ar ben fy nigon. Yn yr un oddi wrth Ifan ro'dd sgarff a chap y Sgarlets, a chrys Sgarlets yn yr un oddi wrth Mam. Dyma fi'n gwisgo'r crys ar unwaith, yna'n rhoi'r sgarff rownd 'y ngwddw a'r cap am 'y mhen.

'Argian, watshia rhag ofn i ti golli bwyd ar y sgarff 'na,' meddai Taid. 'Mi fasa'n biti i ti 'i baeddu hi cyn mynd i'r gêm.'

'Wna i ddim, Taid, dwi'n grwt mawr nawr. Diolch Taid. Diolch Nain. Diolch Mam. Diolch Ifan. Diolch bawb!'

Ro'dd Ifan yn edrych arna i ond do'dd e ddim yn deall nac yn gallu bod yn rhan o'r dathlu. Es i â ti am dro yn ôl yr arfer, Sgrwff, gan wisgo'r sgarff, y cap a'r crys. Ro'n i mor falch. Dyma fi'n danfon neges destun at Ryan i ddweud wrtho fe mod i'n mynd, a dyna braf o'dd cael neges yn ôl, 'Gwld t na gbitho.'

Noson y gêm fe gychwynnodd Taid a fi am chwech o'r gloch, er mwyn cael digon o amser i barcio a gweld Parc y Sgarlets yn iawn.

Ro'dd Taid wedi clywed cymaint am y lle ac yn edrych ymlaen at ein hymweliad bron cymaint â fi. A chafodd e mo'i siomi, medde fe. Mae'n anferth. Do'n i ddim wedi sylweddoli ei fod yn lle mor fawr. Ro'dd e'n cymryd ache i gerdded reit rownd y lle. Ro'dd Taid yn meddwl bod y cerflun o Ray Gravelle yn arbennig. 'Ffrind mawr Dafydd Iwan, ti'n gweld,' meddai.

Welson ni Ryan a'i dad a chael sgwrs 'da'r ddau, er sa i'n siŵr a o'dd tad Ryan yn deall Taid yn siarad. Fe weles i sawl un ro'n i'n adnabod, gan gynnwys Shinach a Gingron. Ro'dd y ddau'n edrych yn hurt arna i. Doedden nhw ddim yn dishgwl 'y ngweld i yno. Yn y South Stand oedden ni, a Taid yn blês iawn bod cyment o Gymraeg i'w glywed ym mhobman. Fe gafon ni basti flasus i fynd 'da ni i'n sêt, a bob o ddiod.

Ro'dd Taid dipyn bach yn siomedig nad o'dd

Stephen Jones yn chware, achos ro'dd e wedi clywed am hwnnw.

Dwi ddim yn siŵr faint ro'dd Taid wedi'i ddeall na'i fwynhau o'r gêm. Ro'dd e'n holi bob hyn a hyn beth o'dd wedi digwydd pan o'dd pawb yn gweiddi, ond fe wnaeth e fwynhau darllen y rhaglen.

Fe wnes i joio mas draw. Er nad o'dd Ifan yno, ro'n i'n meddwl amdano fe pan weles i grwt mewn cadair olwyn. Mae lle arbennig i'r anabl yno, ond dwi'n sylweddoli na fyddai Ifan druan yn deall dim o beth o'dd yn digwydd.

Ro'n i'n meddwl yn siŵr bod y Sgarlets yn mynd i ennill. Ro'dd y sgôr yn gyfartal, ugain pwynt yr un tan amser anafiade, ond fe gollon ni o 20 i 22. Ro'n i mor siomedig, ond o leia fe ges i noson i'w chofio. Sylw Taid o'dd:

'Ma' 'na rwbath reit gyffrous yn y rygbi 'ma. Ella ddechreua i edrach ar amball gêm ar y teledu.'

14

Do'dd Ifan ddim yn hwylus iawn ddydd Sul ac ro'dd Mam yn falch iawn bod Taid a Nain gyda ni. Ni'n dau'n poeni'n ofnadwy os nad yw Ifan yn hwylus, achos allwn ni ddim gofyn

iddo fe beth sy'n bod. Wel, ni'n gallu gofyn ond all e ddim ateb. Do'dd e ddim wedi cysgu'n rhy sbesial, wedodd Mam. Ers y ddamwain, mae Mam yn cysgu'n hynod ysgafn ac mae drws ei hystafell wely hi a drws ystafell Ifan ar agor drwy'r nos. Mae hi'n clywed pob smic. Wrth lwc, nyrs yw Jean, nymbyr 3, a dim ond galw arni hi sydd raid. Fe ddaeth Jean gyda'i phrysurdeb arferol ac fe gymrodd wres Ifan. 'Digon i yfed a Calpol,' o'dd ei chyngor a'i ffonio hi os oedden ni'n becso. Ro'dd ei drwyn e'n rhedeg ac wrth gwrs, fi o'dd y 'prif sychwr trwyn'. Dyw hynny ddim yn rhwydd nac yn hwyl.

Erbyn bore dydd Llun, ro'dd Ifan dipyn bach yn well. Er hynny, penderfynodd Taid a Nain beidio mynd yn ôl i'r gogledd tan ddydd Mawrth, er mwyn 'neud yn siŵr 'bod Ifan bach yn iawn'.

Ro'n i wrth fy modd ar y bws yn siarad am y gêm. Wyddost ti beth, Sgrwff, ro'n i'n uwch fy nghloch na'r un o'r bechgyn eraill. O'r diwedd, ro'n i'n gallu dweud '*I was there*'. Ro'dd e'n brofiad newydd i mi.

Amser egwyl, pan o'n i ar fy ffordd i ddala

lan â'r bois, pwy ddaeth o'r tu ôl i mi ond Shinach a Gingron.

'Pwy yffarn o'dd yr hen ffôgi 'na o'dd 'da ti ddydd Sadwrn?' holodd Gingron.

'Siôn Corn wedi dod yn gynnar, ife?' gofynnodd Shinach.

O! Ro'n i'n teimlo 'ngwaed yn dechre berwi. Ond do'dd y ddau ddim wedi bennu eto, ddim o bell ffordd. Dyma nhw'n dechre siarad â'i gilydd fel petawn i ddim yn bod.

'Gog o'dd e, fi'n credu.'

'Jiw, jiw ie. Ro'dd e'n siarad gobldi, gobldi, fel twrci.'

'Glywest ti fe'n siarad 'da'r stiward 'na?'

'Yffach, do. Do'dd 'da'r stiward druan ddim clem beth o'dd e mlan ambyti.'

'Beth o'dd Gog yn 'neud mewn gêm rygbi beth bynnag? Dy'n nhw ddim yn deall yffach o ddim ambyti'r gêm!'

Ti'n gwbod beth, Sgrwff, dwi'n hanner Gog. Gog yw Dad, felly ro'dd yn rhaid imi amddiffyn Dad, Taid, Ifan a fi fy hun, felly wedes i:

'Gog yw Robin McBryde, ac ro'dd e'n ddigon da i fod yn *coach* i flaenwyr tîm Cymru.'

'Dim ond un yw e. Sdim un Gog cweit yna i gyd,' chwarddodd Shinach. 'Ma' rhywbeth yn bod ar bob un o'nyn nhw. Dyna sy'n bod ar dy frawd di, siŵr o fod – twtsh o'r Gog. Dyw hwnnw ddim yn reit chwaith.'

Os do fe! Ti'n gwbod beth, Sgrwff, ro'dd 'y ngwaed i'n berwi ac fe landies i gernod yng nghanol ei hen wên ffals e. Ges i ofan, cofia, achos dechreuodd ei drwyn e waedu. Am funud fe safon ni'n llonydd, fel petaen ni'n dau mewn sioc, a dechreuodd plant grynhoi o'n cwmpas ni. Ro'dd y gair 'ffeit' wedi mynd fel tân gwyllt i lawr y coridore. Ro'dd pawb yn fusneslyd, yn moyn gwbod beth o'dd wedi digwydd, a rhai'n trio'n gwthio ni i gael ffeit go iawn. Daeth un o'r athrawon ar ddyletswydd draw, ac fe halodd y ddau ohonon ni at yr Enseiclopîdia, yn go glou. Enseiclopîdia yw'n henw ni ar y dirprwy, achos mae hi'n gwbod popeth am bawb. Dyma'r tro cynta erioed imi gael fy hala ati, ac ro'dd cywilydd arna i. Fyddai Mam ddim yn blês. Ro'dd wyneb yr Enseiclopîdia fel taran.

'A phwy yw'r ddau hyn, Mrs Matthews?' holodd.

Cyn iddi gael ateb dywedes, 'Ma' tri i fod.'

'Gofyn cwestiwn i Mrs Matthews wnes i, nid i ti. Wel, Mrs Matthews?'

'Twm Dafis a Jason Price o flwyddyn wyth.'

Dyma fi'n gwenu, achos do'n i ddim yn cofio taw Jason o'dd enw iawn Shinach. Do'dd e ddim yn edrych fel rhyw Jason. Arwr o Wlad Groeg o'dd hwnnw. Wel, os o'dd pethe'n wael o'r blaen, aethon nhw'n ganwaith gwaeth wedyn.

'Tynna'r wên 'na oddi ar dy wyneb, Twm. Dyw peth fel hyn ddim yn sbri. Mae ymddygiad o'r fath yn fater difrifol. A phwy o'dd y trydydd?' holodd.

Allwn i yn fy myw gofio enw iawn Gingron.

'Wyt ti wedi colli dy dafod?'

'Naddo, Miss.'

'Pwy o'dd e?'

'Sa i'n gwbod 'i enw e.'

Do'n i ddim yn gweud celwydd, o'n i Sgrwff?

Trodd at Shinach. 'Wyt ti'n gwbod ei enw fe?' holodd.

'Darren Thomas.'

A dyma fi'n meddwl, 'Ma' dy lysenw di'n dy siwtio di i'r dim, y Shinach. Ti wedi bradychu dy ffrind dy hun.'

'Mrs Matthews, os gwelwch yn dda, wnewch chi drefnu i rywun ddod â Darren Thomas ata i hefyd?' gorchmynnodd yr Enseiclopîdia.

Do'dd dim rhaid i Mrs Matthews drefnu dim. Pan agorodd hi'r drws, ro'dd Gingron yn sefyll tu fas yn clustfeinio. Ro'dd yr olwg ar ei wyneb yn werth ei weld. Agorodd ei lygaid a'i geg yn union yr un pryd.

'Dere i mewn, Darren,' meddai'r Enseiclopîdia. 'Roeddet ti'n rhan o'r ffrwgwd hefyd, glywes i.'

'Twm wnaeth fwrw Jason, Miss. Do'dd e'n ddim byd i 'neud 'da fi. Sefyll yna o'n i.'

'Pam wnaeth Twm fwrw Jason?'

'Sa i'n gwbod,' atebodd Darren.

'Dwyt ti ddim yn gwbod, ond roeddet ti'n sefyll yno. Ti'n drwm dy glyw?'

'Nadw, Miss. Aros am Jason o'n i.'

'Jason, pam wnaeth Twm dy fwrw di?'

'Sa i'n gwbod. Dyw e ddim yn lico fi na Darren.'

'Pam nad yw e'n dy hoffi di na Darren?'

'Sa i'n gwbod.'

'Does neb yn gwbod dim, felly. Cyfleus dros ben. Oes rhywbeth fel hyn wedi digwydd o'r blaen?'

'Nac oes, Miss,' atebodd y ddau fel deuawd mewn steddfod.

Erbyn hyn ro'n i'n ffaelu deall pam nad o'dd hi'n fy holi i. System holi dirprwyon, siŵr o fod. Cadw rhywun mewn syspens. Ond yna, fe ddaeth y cwestiwn:

'Pam wnest ti fwrw Jason, Twm? O'dd yna reswm digon difrifol i ti ei fwrw e?'

'O'dd, Miss.'

'Beth o'dd y rheswm, felly?'

'Ro'dd e'n dweud pethe cas am y Gogs, am

Taid ac am Ifan 'y mrawd i, achos mai Gog ydy Taid.'

'O'dd y pethe hynny'n ddigon cas i roi'r hawl i ti ei fwrw fe?'

'O'dd, Miss.'

'Beth ddywedodd e?'

'Well 'da fi beidio dweud, Miss.'

'Wel os felly, rhaid cosbi'r ddau ohonoch chi. Gan mai dyma'r tro cyntaf erioed i chi ddod o 'mlaen i, fydd y gosb ddim yn rhy drwm. Mae hi'n ddydd Llun heddiw, felly am weddill yr wythnos hon fe gewch chi'r dasg bleserus o fynd o gwmpas yr ysgol yn casglu sbwriel yn ystod yr awr ginio. Gan na wn i faint o ran o'dd gan Darren yn y ffrae, fydd e ddim yn gorfod casglu 'da chi. Ewch at Mr Lewis, y gofalwr, ar ôl cinio i gasglu bagiau sbwriel, ffyn casglu sbwriel a menig. Gofalwch na wela i yr un ohonoch chi yma eto – bydd y gosb yn fwy llym o lawer y tro nesaf.' Wrth i ni gyd fynd drwy'r drws, dyma'r Enseiclopîdia'n troi ata i a rhoi llaw ar fy ysgwydd.

'Aros funud Twm. Dwi eisiau cael gair bach.' Ro'n i'n siŵr mod i'n mynd i gael pregeth anferth ganddi. Arhosodd i bawb arall fynd allan o'i hystafell cyn dweud:

'Dwi'n deall ei bod hi'n anodd os oes rhywun yn dweud pethau creulon am dy deulu, yn enwedig am dy frawd, ond nid defnyddio dy ddwrn yw'r ffordd orau. Oes rhywbeth y dylwn i ei wybod?' holodd yr Enseiclopîdia gan edrych arna i'n ofalus.

'Nac oes, Miss.' Do'n i ddim yn mynd i ddweud wrthi am Shinach a Gingron.

'Unrhyw anhawster 'da'r ysgol o gwbwl?'

Ti'n gwbod beth, Sgrwff, do'n i ddim yn siŵr a ddylwn i ddweud wrthi am y drafferth dwi'n gael wrth drio dod i ben â gwaith cartref ambell waith, ond ro'dd hi'n edrych yn eitha caredig, felly fe wedes i. Y peth yw, ro'n i'n becso y byddai hi'n meddwl mod i'n trio sgeifio. Ond do'dd dim angen i mi boeni o gwbl. Fe wrandawodd hi, ac wedyn cynigiodd fisgïen i mi cyn dweud:

'Iawn, Twm, dwi'n gweld dy broblem di. Fe fydda i'n cael gair 'da dy athrawon di i'w hatgoffa nhw o'r sefyllfa, a dim ond y nhw a fi fydd yn gwbod. Oes rhywbeth arall ynglŷn â'r ysgol yn dy fecso di?'

'Nac oes, Miss.'

'Iawn, ond os bydd unrhyw broblem yn codi, dere ata i'n syth. Nawr, i ffwrdd â thi.'

15

Am wythnos wael o'dd honno, Sgrwff, ac ro'n i mor falch dy fod ti 'da fi. Wedi dod sha thre, ro'n i'n gallu mynd â thi am dro, whare 'da ti a mynd ag Ifan yn ei gadair olwyn at ddrws y cefn i'n gwylio ni'n dau. Mae e wrth ei fodd yn 'neud hynny.

Ti'n gymaint o ffrind i fi, Sgrwff, yn 'neud i mi anghofio pethe cas. Ti'n gwbod beth, Sgrwff? Mae casglu sbwriel yn jobyn uffernol!

Ro'dd pethe'n waeth i mi nag i Shinach achos ro'dd Gingron yn cerdded gydag e, a rhyw gwdyn bach yn ei law. Ro'dd e'n casglu llond y cwdyn hwnnw, ac yna'n dod draw ata i a gwagio cynnwys y cwdyn i gyd yma ac acw yn yr ardal lle ro'n i'n casglu.

Peth arall sy'n ofnadwy am gasglu sbwriel, Sgrwff, yw bod pob Tom, Dic a Harri'n dy weld di ac yn gwbod dy fod ti wedi 'neud rhywbeth o'i le. Os y'ch chi'n cael eich cadw i mewn, does neb yn eich gweld chi. Dim ond y

chi, yr athro a'ch ffrindie sy'n gwbod. Ond mae'r gosb hon yn mega shêmyr, ac yn 'neud i chi deimlo'n rîal dihiryn. Ti'n gwbod, un diwrnod, pasiodd rhyw fois o flwyddyn deg heibio i fi, a glywes i un yn dweud wrth y llall, fel 'tai e'n ateb cwestiwn ro'dd rhywun wedi'i ofyn iddo:

'Ro'dd rhyw foi wedi dweud wrtho fe, "dyw dy frawd di ddim yn reit" a landiodd e un yng nghanol 'i chops e.'

'Odi'i frawd e'n reit 'te?'

'Ma' fe'n hollol bananas, dyna wedodd rhywun.'

Wel, allwn i ddim â dala rhagor. Dwi'n siŵr mod i'n swnio fel rhywbeth lloerig yn gweiddi:

'Dyw Ifan *ddim* yn bananas! Ma' fe mewn cadair olwyn . . . dyna'r cwbwl . . . a meindiwch eich busnes. Ma' fe'n well na chi'ch dau 'da'ch gilydd.'

Wrth gwrs ro'dd Lewis, y gofalwr, o fewn clyw. Dod i weld beth o'n i wedi bod yn ei 'neud o'dd e. Nid y fe'n unig o'dd wedi clywed, achos ro'n i'n gweiddi mor uchel.

'Cŵl it, gwd boi, neu mi fyddi di mewn trwbwl eto. Mae'n hen bryd i ti ddysgu rheoli'r tymer 'na. Nawr 'te clatshia 'mlan neu bydd y gloch wedi canu.' A cherddodd Lewis i ffwrdd.

Wrth gwrs, ro'dd Shinach a Gingron wedi clywed hefyd, ac wrth i mi fynd i gofrestru dyma nhw'n dod tu ôl i mi a sibrwd yn fy nghlust i:

'Ti'n dechre'i cholli hi hefyd. Ti'n dechre

mynd yn bananas. Gwaed y Gog yn gryf ynot tithe hefyd, gwd boi.'

Wrth lwc, ro'dd Huw ar 'y mhwys i, ac fe drodd at y ddau a dweud:

'Caewch y'ch pennau. Dwi wedi clywed hefyd, a dwi'n debyg iawn i ti, Shinach – fe fydda i'n dweud enwe wrth athrawon! Ond dw i ddim cweit 'run peth â ti, achos sa i'n moyn achosi trwbwl i fy ffrindie. Ond dwyt ti ddim yn digwydd bod yn un ohonyn nhw. Felly rho *zip* ar dy hen geg fawr.'

Sa i'n credu bod Gingron wedi sylweddoli tan y funud honno taw Shinach o'dd wedi rhoi'i enw i'r Enseiclopîdia. Ro'dd ei geg ar agor fel pysgodyn aur.

16

Y pnawn hwnnw, ar fy ffordd i'r wers gynta, daeth Jim Jim i chwilio amdana i. Jim yw ei enw iawn e, ac ymarfer corff mae'n ei ddysgu, felly dyna pam mae e'n cael ei alw'n Jim Jim. Galwodd fy enw i ar y coridor a chwmpodd fy nghalon i'n sgidie i. O'n i wedi 'neud rhywbeth arall o'i le? Ro'n i'n ymwybodol bod pawb yn edrych arna i. Dwi'n credu mod i'n dechre mynd yn paranoid, os dwi'n deall ystyr hynny'n iawn. Dwi'n siŵr bod pawb wedi arafu i gael clywed beth o'dd Jim Jim yn mynd i'w ddweud. Mae shwd gyment o blant busneslyd o gwmpas y lle.

'Beth sy 'mlan 'da ti ddydd Sadwrn?' gofynnodd.

'Dim byd arbennig, Syr.'

'Da iawn. Fi'n moyn ti yn y tîm yn erbyn Cwmdu. Dwi'n brin o chwaraewyr – ma' 'na gyment o annwyd a llwnc tost o gwmpas y lle.'

Ro'n i'n ffaelu credu'r peth. Fi? Fi, Twm Dafis yn cael chware dros dîm yr ysgol! Choelies i fyth y byddwn i'n clywed y geirie yna ar ôl i mi ddweud wrtho'n bendant, y llynedd, na allwn i ddod i ymarfer ar ôl ysgol.

'Reit te, boi, welwn ni ti ar y cae'n ymarfer 'da'r tîm amser cinio fory. Dyma docyn cinio cynnar i ti. Edrych ymlaen at dy weld. Ti'n chwaraewr bach glew.'

Suddodd 'y nghalon at waelod fy sgidie.

'Sori, syr, ond sa i'n gallu dod i ymarfer.'

Diflannodd y wên oddi ar ei wyneb.
'Gwranda Twm, ma'n rhaid i ti ymarfer 'da'r
tîm i ti wybod beth ma' pawb yn ei 'neud. Ma'
strateji 'da ni a rhaid i ti wbod beth ma'
gweddill y tîm yn debygol o'i 'neud. Pa esgus sy
'da ti nawr?'

Ro'dd yn rhaid i mi gyfaddef wrth yr athro
mod i'n gorfod clirio sbwriel bob amser cinio am
wythnos gyfan. Dyna beth o'dd mega shêmyr.

'Be wnest ti i haeddu cosb?' holodd.

'Roies i gernod i ryw foi.'

Do'dd yr olwg ar ei wyneb ddim yn garedig
iawn.

Do'n i ddim yn moyn dweud pam roies i'r
gernod. Wnes i jest dweud bod y boi arall yn
dweud pethe cas am 'y mrawd i. Ro'dd Jim Jim
yn dawel am eiliad, ac wedyn ges i'r bregeth.

'O! wel, alla i ddim fforddio cael neb ar siort
ffiws yn y tîm. Bant o'r cae fyddet ti, fel shot,
taset ti'n colli dy dymer. Carden felen a'r cwrt
cosbi fydde o dy flaen di. Alla i ddim fforddio
cael rhywun fel 'na yn y tîm. Rhaid imi chwilio
am rywun arall 'te.'

Ti'n gwbod beth, Sgrwff, ro'n i'n ddiflas

drwy'r pnawn. Ro'n i wedi colli'r cyfle i wireddu fy uchelgais. Y peth gwaetha un o'dd taw teimlo'n grac at Ifan o'n i. Ro'dd rhyw hen deimlad 'da fi taw ar Ifan o'dd y bai i gyd. Nid fi, na Shinach, na Gingron. Ifan o'dd yn fy rhwystro rhag 'neud popeth. Wedes i wrth y bois beth wedodd Jim Jim, a whare teg iddyn nhw, ro'n nhw'n cydymdeimlo.

Yn y bws ar y ffordd sha thre, ro'dd Gingron yn wên o glust i glust, fel tase fe wedi ennill y Loteri. Ges i wbod y rheswm pam yn go glou. Cerddodd Gingron yn bwrpasol draw ata i a dweud:

'Ti wedi clywed y newyddion da amdana i, wyt ti?'

'Nagw,' atebais heb ddangos unrhyw ddiddordeb.

'Dwi yn y tîm ddydd Sadwrn.'

Ro'dd hynny'n rhoi dolur, ond fe rwbiodd halen i'r briw pan wedodd e, 'Dwi'n whare yn safle'r maswr.'

Ro'dd y gelyn yn whare yn fy safle i a Ryan! Am fod ffliw ar Ryan, fi ddyle fod yn ei safle fe, ond nawr Gingron o'dd yn cael y cyfle, a hynny am nad o'dd e'n gorfod casglu sbwriel amser cinio. Ro'dd e mor euog â fi – yn waeth, os rhywbeth. Fe o'dd y rheswm pam o'n i wedi rhoi cernod i Shinach. Fe o'dd yn arllwys rhagor o sbwriel ar fy mhatshyn i bob dydd. Bu raid i Josh a Huw 'y nal i'n ôl pan wedodd Gingron:

'Ti'n gweld, alle Jim Jim ddim mentro rhoi Gog yn y tîm achos 'dyn nhw'n deall dim ambyti rygbi. *Wish me luck*, gwd boi.'

Ti'n gwbod beth, Sgrwff? Ro'dd 'y ngwaed i'n berwi wrth feddwl am wythnos gyfan o gael y Gingron yna'n cerdded o gwmpas y lle â golwg bwysig ar ei wyneb. Sa i'n credu mod i erioed o'r blaen wedi dymuno cael ffliw, ond dyna beth o'n i'n moyn y funud honno. Ro'n i'n fodlon dioddef unrhyw beth – annwyd, peswch, llwnc tost, clustie tost – yn hytrach na mod i'n gorfod mynd i'r ysgol i wynebu'r hen Gingron 'na.

17

Ti'n gwbod, Sgrwff, ro'n i'n meddwl bod bywyd yn annheg tuag ata i. Yn enwedig ar ôl i Gingron gael ei ddewis i chware yn y tîm rygbi yn fy lle i. A beth o'dd yn 'neud pethe'n waeth o'dd mod i'n dal i feio Ifan. Ro'n i'n dweud drosodd a throsodd wrth Ifan yn fy meddwl:

'Ifan, arnat ti ma'r bai. Oni bai amdanat ti, byddwn i yn y tîm.'

Ond wedyn, dechreues i feddwl nad ar Ifan o'dd y bai wedi'r cwbwl. Ar y person achosodd y ddamwain ro'dd y bai am bopeth. Ac mae bywyd wedi bod lawer yn fwy annheg tuag at Ifan. Ond diolch i ti, Sgrwff, mae pethe'n dechre newid. Mae'n hen bryd i ni ddechre edrych ymlaen, a thrio bod yn fwy positif – trio rhoi'r hen ddamwain erchyll 'na mas o'n meddylie.

Ond ro'n i'n meddwl bod ein byd ni ar ben unwaith eto ar ôl yr helynt 'na ychydig wythnose'n ôl. Fel tase'n teulu ni ddim wedi diodde digon yn barod! Ti'n gwbod, Sgrwff, wna i fyth anghofio'r noson honno. Dyna beth o'dd noson ddychrynllyd. Hunlle o noson, a dweud y gwir. Ond noson hefyd a newidiodd ein bywyde ni i gyd er gwell, yn y pen draw. Dwi'n siŵr dy fod tithe'n cofio'r noson honno'n iawn hefyd.

Sa i'n siŵr, Sgrwff, os ydy ci'n gwbod beth yw beth a ble mae popeth? Rwyt ti'n gwbod, wrth gwrs, bod ein garej ni'n sownd i'r tŷ . . . yn sownd i'r stafell-bob-peth. Yn honno rwyt ti'n byw, ontefe, a'r garej yw'r lle ble mae'r car, yr annibendod a'r rhewgell yn byw. Ar y pryd, doedden ni ddim yn gwbod bod y to fflat yn y garej yn gollwng, a bod dŵr yn diferu dros y rhewgell.

Es i i'r gwely fel arfer y noson honno. Ro'dd Mam wedi dod gatre, 'wedi blino'n dwll' fel mae hi'n ei ddweud. Ro'n i braidd yn shwps hefyd, achos ro'dd Ifan wedi bod yn drwblus iawn y noson honno. Do'dd e ddim yn moyn ei fwyd. Do'dd e ddim yn moyn yfed. Ro'dd bwyd ym mhobman a phopeth o'i gwmpas e'n diferu. Ro'dd e'n sgrechen ambyti'r teledu – do'dd yr un rhaglen yn plesio, a minnau heb gael munud i edrych ar y gwaith cartref, heb sôn am ei 'neud e. Ro'n i'n gwbod taw stŵr gawn i eto fory. Mae'r rhan fwyaf o'r athrawon yn barod i dderbyn fy eglurhad os yw fy ngwaith yn hwyr ond mae rhai'n anghofio am Ifan ac yn rhoi stŵr i mi bob tro. Pam does dim math o fathodyn glas 'da fi, fel sy 'na i'r anabl? Bathodyn glas yn dweud: 'Weithiau nid yw Twm Dafis yn cael cyfle i ddechrau ei waith cartref, heb sôn am ei orffen, achos mae'n rhaid iddo ofalu am ei frawd'. Gallwn i ysgrifennu at y Comisiynydd Plant yn cynnig fy syniad iddo fe. Ond dwi'n gwbod yn iawn na fyddai'n cymryd unrhyw sylw ohona i.

Wel, beth bynnag, es i i'r gwely, a chysgu'n sownd ar unwaith. Ond rhyw dro yng nghanol nos, gallwn deimlo rhywun yn tynnu ar y dillad gwely. Ti'n gwbod beth, Sgrwff, dwi'n cofio'u tynnu nhw'n ôl a mynd yn grac, ond wedyn – diolch byth! – dechreuest ti gyfarth yn uchel. Shwt yn y byd ddoist ti mas o'r stafell-bob-peth, Sgrwff? Ni'n gadael y drws rhwng honno a'r gegin ar agor, ond mae giât babi rhyngddyn nhw. Rhaid dy fod wedi neidio drosti a rhuthro i'm stafell i.

Fe godes i'n syth bìn a mynd â ti'n ôl i'r gegin rhag ofn i ti gael stŵr gan Mam. Wrth i mi fynd yn nes ac yn nes at ddrws y gegin ro'n i'n gallu gwynto'r mwg, ac roeddet ti'n troi i edrych arna i i 'neud yn siŵr mod i'n dal i dy ddilyn di. Dechreuodd fy llyged losgi. Do'dd dim fflame i'w gweld, ond wrth i ni fynd drwy'r gegin at y stafell-bob-peth, gallwn weld ei bod hi'n llenwi â mwg, ac ro'dd e'n dechre dod i mewn i'r gegin a thrwodd i'r cwtsh. Ar yr eiliad honno, dyma'r larwm tân yn dechrau canu. Rhedais yn ôl i ddihuno Mam, ond ro'dd hithau wedi ei glywed hefyd. Ro'dd hi'n sefyll yn nrws ei hystafell wely yn ei phyjamas.

'Twm be sy'n bod? Wyt ti'n iawn? Be am Ifan . . ?'

'Mam, ma'r stafell-bob-peth yn llawn mwg. Rhaid i ni fynd mas ar unwaith!'

'Twm, os yw hi'n saff i ti, cer i gau drws y stafell-bob-peth rhag bod y tân yn ymledu. Ffonia'r frigâd dân ar 999. Rhaid i mi godi Ifan i'w gadair olwyn. Brysia, Twm!'

Fe lwyddes i gau'r drws, ond ro'dd y mwg yn tewhau a gwynt fel rwber yn llosgi yn llenwi'r lle. Cipiais fy anorac oddi ar y peg cotie a mynd at y ffôn. Roeddet ti 'da fi bob cam o'r ffordd, Sgrwff. Pan gydies i yn y ffôn, fe sylweddolais fod fy nwylo'n crynu.

'Cadw dy gŵl, Twm,' wedes i wrtha i fy hunan.

Ro'dd fy mysedd yn crynu wrth bwyso'r botymau 999. Atebodd llais fi ar unwaith.

'Argyfwng. Pa wasanaeth?'

'Tân!' gwaeddais i lawr y ffôn mewn panig llwyr. Ar unwaith canodd cloch arall, a dywedodd rhywun, 'Gwasanaeth tân.'

'Ma'n tŷ ni . . . ar dân.'

'Cyfeiriad?'

'5 Maesgwyn . . . Bro Tywi,' atebais. 'Côd post . . . SA31 2LR.'

'Iawn. Bydd y Frigâd 'da chi ar unwaith. Nawr, triwch beidio panico. Ewch mas mor glou â phosib a pheidiwch â mentro mynd 'nôl i mewn i geisio achub unrhyw beth.'

'Alla i ddim mynd mas . . . heb Mam . . . ac Ifan.'

'Ble maen nhw?'

'Ma' Mam yn gweithio'r hoist . . . i godi Ifan o'i wely ac i mewn i'w gadair olwyn.'

Erbyn hyn ro'dd y mwg yn dechre cwrlo mas i'r cyntedd o dan ddrws y gegin. Dyma fi'n rhoi'r ffôn i lawr a rhuthro i helpu Mam. Erbyn hynny, ro'dd hi wedi llwyddo i roi Ifan yn ei gadair olwyn. Rhedodd i wlychu tywel a'i roi dros ei ben a'i wyneb i'w arbed rhag y mwg.

'Cer lawr ar y llawr, Twm, a chropian mas.'

'Beth amdanoch chi, Mam? Allwch chi ddim mynd ar lawr a gwthio Ifan 'run pryd.'

'Paid â becso. Fe fyddwn ni'n syth tu ôl i ti. Nawr cer!'

Erbyn hynny, ro'dd Mam a fi'n pesychu'n gas.

'Plîs Dduw, paid â gadel i ddim byd ofnadwy ddigwydd i Mam ac Ifan,' gweddïais yn dawel.

Ti'n gwbod beth, Sgrwff? Dwi'n credu mai dyna'r tro cynta erioed i mi glywed ci'n pesychu! Allan â ni drwy'r drws. Sa i'n credu bod awyr iach erioed wedi arogli mor ffein. Ymhen chwinciad, clywais sŵn y seiren yn dod yn nes ac yn nes. Erbyn hyn, ro'dd rhai o'r cymdogion wedi dihuno a dod allan i drio'n helpu ni. Aeth Menna drws nesa â Mam ac Ifan i'w thŷ hi i gael dishgled a thwymo. Ro'dd Mam yn crynu. Ro'dd 'y nghoese i'n crynu hefyd, ond ro'n i'n moyn bod mas i weld y frigâd dân yn cyrraedd.

Yn sydyn, ro'dd y lle'n llawn dynion mewn helmedau'n rhedeg yma ac acw'n cario pibellau dŵr. Fe gymeron nhw ofal o bopeth. Do'dd dim rhaid i mi boeni rhagor. Roedden ni'n ddiogel. Mam, Ifan, ti a fi. Diolch i ti, Sgrwff. Rwyt ti'n arwr!

18

Y noson honno, fe gysgon ni'n tri yn ôl yn ein gwelyau'n hunain. Do'dd y mwg ddim wedi cyrraedd stafelloedd cysgu'r byngalo ond ro'dd gwynt mwg ofnadwy ym mhobman. Ti'n cofio, Sgrwff? Gest ti gysgu ar y llawr yn fy stafell wely i, ac roeddet ti wrth dy fodd. Es i ddim i'r ysgol fore trannoeth gan mod i wedi blino ac ro'dd gormod o bethe i'w 'neud. Wrth lwc, daeth y bws mini i nôl Ifan a mynd ag e i'w ysgol, felly ro'dd Mam a fi'n gallu torchi llewys a dechre arni ar unwaith i lanhau pob man.

Ro'dd Mam wedi ffonio Mam-gu a Tad-cu, wrth gwrs, ac fe addawon nhw ddod draw ar unwaith i helpu. Daeth Mam-gu i mewn drwy'r drws fel petai hi ar ryw antur fawr, yn gwisgo pâr o jîns, hen siwmper Tad-cu, fflip-fflops am ei thraed a gwên fawr ar ei hwyneb. Ro'dd clamp o fag mawr ganddi hefyd.

'Reit, dwi wedi dod â digon o fwyd. Chi'n siŵr o fod yn starfo. Bwyd gynta, gwaith wedyn,' meddai.

Wrth i ni fwyta rhai o frechdanau Mam-gu, canodd cloch drws y ffrynt. Dyn o *Clonc y Cwm* o'dd yno'n moyn gwbod hanes y tân i'w roi yn y rhifyn nesa, ddydd Mercher. Ro'dd Mam-gu yn ei helfen. Cribodd ei gwallt a rhoi rhagor o lipstig ar ei gwefusau, rhag ofn iddi gael tynnu'i llun. Cynigiodd Mam-gu ddishgled o de a phice ar y maen iddo fe, ac eisteddon ni i gyd yn y rŵm ffrynt yn bwyta ac yn yfed. Do'dd dim gormod o wynt mwg yno, dim fel y gegin a'r cwtsh. Tra o'n ni'n clebran ambyti'r tân, ro'dd dyn *Clonc y Cwm* yn 'neud nodiade mewn rhyw lyfr bach.

Pan welon ni *Clonc y Cwm* ddydd Mercher, gafon ni ychydig bach o sioc fod yr hanes wedi cael cymaint o sylw.

DIOLCH I SGRWFF:

ANIFAIL ANWES YN ARWR!

I bawb arall, ci bach sgrwfflyd yw Sgrwff ond i deulu Twm Dafis, 5, Maesgwyn, Bro Tywi, mae'r anifail anwes hwn yn arwr. Tua 2 o'r gloch fore Gwener diwethaf, cafodd Twm ei ddihuno wrth i Sgrwff dynnu cwrlid ei wely a chyfarth nerth ei ben. Dilynodd y ci a darganfod bod y garej ar dân. Roedd y mwg wedi dechrau ymledu gan dreiddio i'r gegin a'r ystafell orau. Cysylltwyd â'r frigâd dân yn syth ac yn fuan wedi hynny roedd y tân o dan reolaeth. Yn ffodus iawn llwyddodd y teulu i ddianc heb unrhyw anaf.

Disgybl 13 oed yn Ysgol Gyfun y Gelli yw Twm. Mae'n ofalwr ifanc sy'n gofalu am Ifan, ei frawd bach, bob nos ar wahân i nos Sul, tra bod ei fam, Sali Dafis, yn gweithio fel derbynyddes yng Ngwesty'r Tarw. Oherwydd hyn, nid yw Twm yn gallu chwarae gyda'i ffrindiau gyda'r nos felly mae Sgrwff, ei ffrind gorau, yn gwmni mawr iddo.

Cafodd Ifan niwed i'w ymennydd yn dilyn damwain car drasig chwe blynedd yn ôl pan laddwyd ei dad, Emyr Dafis. Yn ôl Twm, mae Ifan hefyd yn hoff iawn o Sgrwff ac mae'n rhoi gwên arbennig wrth roi maldod i'r ci bach. Disgybl yn Ysgol Glanrhyd yw Ifan, sef ysgol ar gyfer plant ag anghenion arbennig.

Mae Sgrwff yn haeddu pob clod am ei ddewrder. Rwy'n sicr fod pawb yn y gymuned yn ddiolchgar iddo ac yn dymuno'n dda i'r teulu.

Ges i sioc pan weles i'r erthygl yn y papur, a sa i'n siŵr ife sioc neu shêmyr o'dd gweld dy lun di a fi yno hefyd. Ro'dd e'n lun sbesial ohonot ti, Sgrwff, yn edrych mor sgrwfflyd ag erioed! Dwi'n amau falle bod Mam-gu ychydig yn siomedig nad o'dd ei llun hi yno hefyd! Dwi'n gwbod mod i'n siomedig iawn nad o'dd llun o Ifan yno chwaith. Daeth Taid a Nain draw yn nes ymlaen, a Tad-cu a Mam-gu hefyd. Aethon ni i gyd i Westy'r Tarw i ddathlu – ro'dd bòs Mam yn mynnu talu am y cyfan!

Trueni nad oeddet ti'n cael bod yno, Sgrwff, ond fe gawson ni *doggy bag* arbennig i ddod gatre i ti. Joies ti hwnnw mas draw!

Sa i'n gwbod pam, ond ar ôl i hanes y tân ymddangos yn y papur, dechreuodd pethe newid yn yr ysgol.

Un bore, amser cofrestru, wedodd Miss wrtha i fod Mrs ap Ifan – hynny yw, yr Enseiclopîdia – yn moyn 'y ngweld i amser egwyl. Dywedodd wrtha i am beidio poeni – do'n i ddim wedi 'neud unrhyw beth o'i le.

'Yffach, pam bod hi'n moyn dy weld ti, os ti ddim wedi 'neud dim byd o'i le?' holodd Josh yn ei ffordd fusneslyd arferol.

'Ma' hi'n moyn diolch iddo fe'n bersonol am glirio'r sbwriel pwy dd'wrnod,' atebodd Huw.

Er i mi chwerthin, ro'n i'n becso drwy'r wers gynta. Pam fod yr Enseiclopîdia'n moyn 'y ngweld i? Ti'n gwbod, Sgrwff, ges i sioc o'r ochr ore. Pan es i i mewn i'w hystafell, ges i ddiod oren a bisgïen a chafodd hi baned o goffi a bisgïen.

Yna dechreuodd hi siarad. 'Ro'n i a gweddill y staff yn hynod falch o ddarllen yn y papur lleol am yr hyn rwyt ti'n ei 'neud i helpu dy fam i edrych ar ôl dy frawd. Dyw e ddim yn rhwydd, dwi'n siŵr. Wyt ti'n cael unrhyw anhawster gyda dod i'r ysgol?'

'Nadw, Miss.'

'Wel, os bydd unrhyw broblem yn codi, ti'n gwbod ble mae drws fy stafell i, neu gelli di fynd at dy athro dosbarth, dy diwtor blwyddyn, neu unrhyw athro arall o ran hynny, unrhyw bryd. Mae helpu'r disgyblion yn rhan bwysig o'n gwaith ni. Dim gosod gwaith cartref yn unig rydyn ni'n ei 'neud, cofia. Byddwn i wrth fy modd yn cwrdd â Sgrwff rhyw ddiwrnod. Mae e'n gi arbennig iawn, ac mae 'da ti lot o waith diolch iddo fe.'

'Oes, Miss, dwi'n gwbod,' atebais.

19

Rhyw bythefnos yn ddiweddarach, galwodd yr Enseiclopîdia amdana i unwaith eto. Do'dd dim ofan mynd arna i y tro hwn. Wrth gwrs, ro'dd Shinach a Gingron wedi clywed mod i wedi bod yn gweld yr Enseiclopîdia, a phan oedden ni yn yr ystafell ddosbarth yn aros i Miss ddod i gofrestru, dyma Shinach yn cyhoeddi dros y dosbarth i gyd, a rhyw hen wên ffals ar ei wyneb:

'Ma' Twm bach ni'n ffefret 'da'r Enseiclopîdia. Ma' Twm bach ni'n sbesial – *teacher's pet*. Fyddwn i ddim yn synnu nag yw e'n sbei iddi hi. Twm Dafis, *special agent*.'

'Ca' dy ben,' brathodd Ryan. 'Sdim cliw 'da ti beth ti'n glebran ambyti.'

'Wel, beth ma' fe'n 'neud yn mynd i'w stafell hi bob whip stitsh a dod mas heb gosb? Ma' rhywbeth *weird* iawn ambyti'r holl beth,' meddai Gingron.

'Ti yw'r peth mwya *weird* fan hyn,' meddai Josh, 'y bat twp!'

'Paid â 'ngalw i'n fat twp,' gwaeddodd Gingron a chamu at Josh i roi cernod iddo fe.

Yn ffodus, ro'dd Huw'n ddigon agos i gamu i mewn a phan gyrhaeddodd Miss, beth welodd hi ond sgrap rhwng Gingron, Shinach, Huw

a Josh. Do'dd Miss ddim yn fodlon cymryd unrhyw nonsens.

'Eisteddwch i lawr, bawb. Pawb heblaw chi'ch pedwar. Dwi ddim yn mynd i ofyn beth yw achos hyn i gyd. Ewch i sefyll tu fas i ddrws Mrs ap Ifan, fe fydda i yno 'da chi ar ôl i mi gofrestru gweddill y dosbarth.'

Ro'n i'n teimlo'n ofnadwy bod Huw a Josh mewn trwbwl, achos trio fy helpu i o'dd Josh, a Huw'n trio helpu Josh. Ond mynd fu raid iddyn nhw. Ro'dd gweddill y dosbarth yn dawelach nag arfer yn ystod cofrestru ac yn edrych 'mlaen at weld beth o'dd wedi digwydd i'r pedwar.

Pan ddaethon nhw'n ôl roedden ni yng nghanol gwers Hanes a do'dd dim cyfle i'w holi. Yr unig beth o'n i'n gallu'i 'neud o'dd sylwi ar wynebau'r pedwar rhag ofn bod cliw i'w weld yno. Do'dd Josh a Huw ddim yn edrych yn rhy ffôl, ond ro'dd golwg eitha simpl ar wynebau Shinach a Gingron. Ro'n i'n ysu am i'r wers ddod i ben – do'n i ddim yn gallu canolbwyntio.

Yn y bws ar y ffordd sha thre gawson ni'r cyfle cynta i glywed yr hanes i gyd. Fe fynnodd yr Enseiclopîdia ei bod hi'n cael yr hanes i gyd, ac fe ddywedodd Huw a Josh y cyfan wrthi, o'r dechrau. Yn ôl Huw, fe gafodd Shinach a Gingron y fath bregeth nes eu bod nhw'n gwingo. Yn sicr, fydde bywyd y ddau yna yn Ysgol Gyfun y Gelli byth yr un peth eto. Chafodd Huw a Josh mo'u cosbi, dim ond cael rhybudd i reoli'u tymer a gorfod 'neud tipyn o waith cartref ychwanegol. Ro'dd yr Enseiclopîdia'n deall 'bod yr amgylchiadau'n rhai arbennig', meddai hi.

Wyt ti'n cofio, Sgrwff, fel y datblygodd pethe fel caseg eira o hynny ymlaen? Nawr, mae Jean yn dod draw bob nos Fercher i ofalu am Ifan tra mod i'n aros ymlaen i ymarfer 'da'r tîm rygbi. Mae Jean yn grêt. Mae hi'n mynd ag Ifan am dro yn ei gadair olwyn ac maen nhw'n cael sbri. Hefyd, mae hi a Mam yn cael clonc fach dros baned. Mae bywyd wedi gwella i ni i gyd. Wrth gwrs, mae Shinach a Gingron yn rhoi llonydd i mi nawr. Erbyn hyn dwi'n dechre teimlo fel plentyn normal a dydw i byth yn gwarafun gofalu am Ifan. Nid ar Ifan mae'r bai o gwbl.

Diolch i ti, Sgrwff.

20

Wyt ti'n cofio'r uchafbwynt, Sgrwff? Yr uchafbwynt o'dd y nos Wener 'na, wythnos cyn i'r ysgol gau am wylie'r haf. Noson wobrwyo'r ysgol o'dd hi, a'r wythnos cynt ro'dd yr Enseiclopîdia wedi galw amdana i a gofyn a o'n i'n dod i'r noson wobrwyo. Wedes i wrthi nad o'dd pwynt, gan nad o'n i'n derbyn unrhyw wobr, ond wedodd hi yr hoffai 'y ngweld i yno. Wedes i wrth Mam, a daeth gwên fach i'w hwyneb hi.

'Ocê,' meddai.

Y noson honno ar ôl i mi gyrraedd sha thre, gwnaeth Mam i mi ymolch a newid i grys glân a 'neud yn siŵr bod fy sgidie i'n sheino. Yna cyrhaeddodd Jean. Ro'dd yn rhaid iddi ddod draw at Ifan am fy mod i'n mynd mas, a Mam yn moyn mynd i'r gwaith. Ges i lifft 'da thad Ryan, achos ro'dd Ryan yn cael gwobr am ei gampau ar y cae rygbi.

Pan gyrhaeddon ni'r ysgol fe wedodd yr Enseiclopîdia wrtha i am ishte ar bwys Ryan. Ro'dd hynny braidd yn od, achos do'n i ddim yn cael gwobr. Aeth pethe'n fwy cymysglyd fyth pan glywes i'r sŵn gore'n y byd – 'Wff!' Fedrwn i ddim credu 'nghlustie! Clywed dy 'Wff!' di yn neuadd Ysgol Gyfun y Gelli! A'r peth nesa roeddet ti yno, 'da fi ar ben y rhes.

Eisteddaist ti yno ar fy mhwys, yn dawel a llonydd drwy berfformiade'r côr a'r gerddorfa. Ro'n i mor falch ohonot ti, ond eto do'n i ddim yn gwbod pam ar wyneb y ddaear ro'n *i* yno, heb sôn amdanat *ti*!

Ar y diwedd un, dyma'r prifathro'n codi ar ei draed yn bwysig a dweud bod un gorchwyl arbennig 'da fe a'r Maer i'w 'neud eto, sef cyflwyno gwobr i un o'r disgyblion, a'i ffrind gorau. Sgrwff, sa i'n gwbod pam, ond ro'dd pigiade bach yn mynd lan a lawr 'y nghefn i ac ro'n i'n teimlo'n oer i gyd. Sa i'n cofio'n iawn beth wedodd e, ond dwi'n cofio Ryan yn rhoi pwt i mi a sibrwd yn fy nghlust:

'Siapa hi, gwd boi, ti fod i fynd lan ar y llwyfan – ti a Sgrwff!'

Do, fe gyrhaeddon ni'r llwyfan, Sgrwff, ti a fi 'da'n gilydd, er do'dd dim tennyn 'da fi. Dwi'n cofio bod y Maer wedi clebran dipyn, ond does 'da fi ddim cof o beth wedodd e. Ond dwi'n cofio un peth, sef pan afaelodd y Maer ynof a 'nhroi i wynebu'r gynulleidfa, ro'dd Mam, Tad-cu, Mam-gu, Taid a Nain yno, yn eistedd yn y rhes flaen yn wên o glust i glust. A wyddoch chi pwy o'dd 'da nhw? Wel, Ifan wrth gwrs, yn ei gadair olwyn yn stwffio'i ddwylo i'w geg.

Trodd y Maer ataf i a rhoi amlen aur yn fy nwylo. Ro'dd pawb am gael gwybod beth o'dd fy ngwobr felly dyma fi'n ei hagor yn gyflym. Waw! Dau docyn tymor i wylio gemau'r Sgarlets! Ro'n i wrth fy modd! Rhoddodd y Maer anrheg i ti hefyd, Sgrwff, a dyna lle roeddet ti'n eistedd fel brenin yng nghanol y llwyfan gydag asgwrn mawr blasus yn dy geg. Roeddet ti'n edrych mor ddoniol! Cododd pawb ar eu traed a dechrau cymeradwyo'n wyllt. Clywais ambell chwiban yn dod o gyfeiriad y gynulleidfa hefyd – dwi'n siŵr mai Mam-gu o'dd wrthi!

Ar ddiwedd y noson, ces i gyfle i wthio Ifan yn ei gadair olwyn o gwmpas y lle, a'i gyflwyno i bawb. 'Fy mrawd bach i yw Ifan, a fi sy'n gofalu amdano fe. Ocê, ma' fe'n gallu bod yn niwsans weithie, ond ma' fe'n werth y byd.' Ro'n i *mor* browd ohono fe.

Siglodd Shinach a Gingron ddwylo 'da fi wrth i ni gael diod a brechdane ar y diwedd, ond ro'dd yr Enseiclopîdia'n cadw llygad craff arnyn nhw. A ti'n gwbod beth, Sgrwff? Dwi'n dal i chware i'r tîm cyntaf, ac yn joio mas draw. Ond yn bwysicach na dim Sgrwff, rwyt ti'n dal yma 'da fi ac Ifan.

DIOLCH, SGRWFF. DIOLCH AM BOPETH!